Agustín Acosta

HACIA LA

PLENITUD

DE LA VIDA

1ª edición
Miami, Florida

ISBN: 978-1-4507-1534-8

Diseño de Carátula: Rosa Lora de Acosta
Corrección de Prueba: Profesor Ciro Calderin Ruiz

Para órdenes o correspondencia:

Agustin Acosta
P.O. Box 44 -1453
Miami Fl 33144

agustinacostamiami@yahoo.com
www.agustinacostamiami.com

ISBN 978-1-4507-1534-8
90000>

9 781450 715348

DEDICATORIA

Dedico este libro a Dios, que me ha dado el maravilloso regalo de la vida en este momento de la historia;

...a mi madre Claudina que, desde el Cielo, ha iluminado mis pasos cada día;

...a mi padre, mis tías y mis tíos, en especial a Ondina, por toda una vida de enseñanzas, rectitud y sacrificios;

...a mis hijos, Christina, Daniel y Alexandro, para quienes he escrito esta obra, con la esperanza de que caminen siempre hacia la plenitud de la vida, por el sendero de la luz, pues todo lo demás les llegara por añadidura;

...a mi esposa Rosa, por haber dibujado el sendero sobre las arenas de Punta Cana y ser la fuerza motora que impulsa mi trabajo;

...a cada uno de mis amigos y colaboradores a través de los años;

...a todos los que lean estas páginas, por la confianza que me ofrecen de antemano.

...A todos ustedes: *¡Gracias, muchas gracias!*

Agustín Acosta

INDICE

INTRODUCCION

Este libro no ha caído en sus manos por pura casualidad. En lo profundo de su mente, ha existido desde hace tiempo un deseo de algo nuevo, una necesidad de cambio. A un nivel que usted ni siquiera reconoce, se ha desatado una búsqueda. Es la búsqueda de algo diferente que usted todavía no puede definir. Usted no desea continuar viviendo como lo ha hecho desde hace mucho tiempo. Siente que ha perdido el rumbo o nunca lo tuvo y necesita encontrarlo.

Usted sospecha, aunque sin una gran certeza, que hay mucho más en el mundo de lo que ha logrado alcanzar hasta ahora. Con sólo mirar a su alrededor, puede ver como otras personas, en su opinión quizás menos inteligentes, viven vidas más felices y con una mayor realización de sus sueños y deseos y usted se pregunta por qué no lo ha podido lograr.

Permítame decirle que el mayor descubrimiento que puede hacer un ser humano es comprender que puede cambiar los aspectos externos de su vida, sólo cambiando las actitudes internas de su mente. Al decidirse a leer este libro, usted ya ha comenzado un cambio determinante en su vida.

Imagine que cierra los ojos por un momento y al volverlos a abrir se encuentra en medio de un gigantesco edificio de muchos pisos. Completamente solo y sin poder preguntarle a nadie cómo salir. Los pasillos y habitaciones están construidos, a veces de cristales y espejos, y otras veces, de ladrillos oscuros. Algunos lugares están tenuemente iluminados y otros permanecen en total oscuridad.

Usted se dirige hacia un área por la que cree que

encontrará la salida. Después de caminar sin rumbo durante más de una hora abriendo y cerrando puertas, encuentra un pasillo largo que desemboca en una puerta donde hay un letrero que dice: "*Por Aquí Se Regresa Al Punto De Partida*". Para llegar hasta allí, usted ha tenido que tropezar varias veces con paredes de cristales y espejos. Y hasta estuvo gran parte del tiempo dándoles la vuelta a los mismos corredores, sin darse cuenta que ya había pasado varias veces por el mismo lugar.

El miedo y la desesperación comienzan a tomar control de sus sentidos. Usted decide empezar de nuevo porque quizás esta vez tenga mejor suerte. De pronto llega a una gran habitación donde hay muchas puertas. Cada una de ellas tiene un pequeño letrero. Una dice "*Más De Lo Mismo*". En la otra se lee "*Camino De Las Dificultades*". En una tercera: "*Salón De Los Pasos Perdidos*". En otra: "*Paseo De Los Fracasos*". Más adelante esta la puerta que conduce a la "*Rutina e Insatisfacción*".

Usted recorre desesperadamente la enorme habitación, tratando de hallar un letrero que diga "*Salida*", pero no lo encuentra. De repente aparece una puerta con una inscripción que lee "*Hacia un Cambio Positivo*". En medio de su desesperación, decide abrir esa puerta y avanzar por un largo corredor que termina en una pequeña habitación iluminada por una luz dorada que parece brotar de las paredes. En el centro del recinto hay una mesita y, sobre ella, un cofre también dorado. Tímidamente usted se acerca y finalmente se decide a abrir el cofre. Adentro hay un pergamino de tela.

Al desdoblarlo, su rostro se ilumina al descubrir que se trata de un plano, aunque más bien parece un laberinto. Es el plano del edificio y muestra detalladamente como los pasillos y las habitaciones se conectan entre sí. Sus ojos recorren desesperadamente el plano tratando de hallar la salida, hasta que nota la existencia de un pasillo ancho que desemboca en una puerta con un letrero que dice: "*Camino Hacia una Vida de Plenitud*". De pronto, sus nervios se calman porque, sin dudas, esa tiene que ser la salida.

Usted se dispone a seguir el plano para poder encontrar ese pasillo y llegar hasta esa puerta. Pero, de repente, el pánico vuelve a dominarlo. Usted se da cuenta que no tiene la menor idea dónde se encuentra, dentro del edificio y, lo que es peor aún, el plano no se lo indica. Tendrá primero que buscar algún punto de referencia que le permita determinar donde usted se encuentra, antes de emprender el camino hasta encontrar la salida.

Cada uno de nosotros, tarde o temprano, nos encontraremos desorientados dentro del gran edificio de laberintos y pasillos mal iluminados que es la vida. La mayoría de las personas pasará toda su existencia tratando de encontrar la salida sin lograrlo. Otros se darán por vencidos y decidirán quedarse a vivir en alguna habitación de ladrillos negros, y se conformarán con residir en penumbras y soledad. Los más soñadores hasta llegarán a pensar que han logrado salir porque el efecto óptico de los espejos y cristales, iluminados de una tenue luz, les harán creer que ya están en el exterior.

Sólo unos pocos descubrirán el cofre dorado que contiene el plano del edificio que les muestra dónde está la salida y, de esos, un número aún inferior podrá establecer exactamente donde se encuentran, y lograrán interpretar el plano con precisión hasta alcanzar "_Una Vida de Plenitud_".

A lo largo del camino, cometerán errores, tropezarán con los cristales y los espejos, y hasta tomarán giros equivocados en pasillos mal iluminados. Pero como tienen el plano y conocen con exactitud su punto de ubicación, podrán salvar los obstáculos hasta lograr salir del laberinto por la puerta que conduce hasta la plenitud de la vida.

¿Se ha preguntado alguna vez lo que sería para usted una vida de plenitud? Para la mayoría, la plenitud estaría asociada a tener mucho dinero. Para otros, la plenitud seria vivir en la abundancia y no carecer de nada. Algunos pensarían que la plenitud es ostentar una posición de poder, autoridad y reconocimiento. Quizás, para usted la plenitud sea la liberación de una serie de preocupaciones sobre su futuro y poder controlar cada aspecto de su existencia.

Sin embargo, la verdadera plenitud es vivir cada momento en un estado de paz y serenidad, en perfecta armonía con el universo y con sus seres queridos, y con la absoluta certeza que, si algo usted necesita, tiene la capacidad plena de conseguirlo.

La verdadera plenitud ha superado ya la codicia, la ansiedad, la incertidumbre, el miedo, el cansancio, la apatía o el aburrimiento.

Hay quienes añoran una serie de bienes materiales, creyendo que cuando los obtengan, serán felices. Viven toda una vida de ansiedad, tratando de alcanzar esas posesiones materiales; agobiados y cansados por la fatiga de la lucha, sólo para descubrir que una vez que las obtienen, les sigue faltando algo y terminan cayendo en la apatía, el aburrimiento, la insatisfacción y la infelicidad.

Varios estudios han demostrado que muchas personas que ganan una fuerte suma de dinero en un sorteo de lotería, terminan siendo más infelices que antes de resultar ganadores, aún cuando han entrado en posesión de una gran fortuna. No estaban preparados para ello.

Este libro pretende mostrarle el camino para encontrar el cofre dorado que contiene el plano del gran edificio de laberintos. Una vez que lo tenga en sus manos, dependerá de usted determinar dónde se encuentra para poder sortear las habitaciones oscuras y la confusión de los pasillos de espejos y cristales, hasta llegar a la puerta que conduce a una vida de plenitud.

Este libro, como cualquier otra obra de su género, es mucho más importante que todos los planes de estímulos económicos juntos, por lo menos, en lo que a usted respecta. Cuando el gobierno decide distribuir cientos de miles de millones de dólares para estimular la economía, a usted le tocará un pedacito minúsculo del total y terminará recibiendo algunos cientos de dólares que usará para pagar deudas atrasadas. Poco tiempo después, el efecto de estímulo se habrá desvanecido.

Este libro no es un cheque de 500 o 1,000 dólares que le envía el gobierno. Este libro es un manual para que usted transforme su vida, de manera tal, que pueda recibir cantidades como esas, *cada día del año*. Los capítulos de este libro no conforman necesariamente una secuencia específica. Aunque han sido escritos de manera secuencial, también han sido concebidos para que puedan ser leídos individualmente y consultados cada vez que usted lo necesite. Hágalo a menudo y sobre todo, ponga en práctica las recomendaciones que hacemos al final de cada capítulo.

Este libro no pretende *"informarlo"* de cómo hacerse millonario, sino *"transformarlo"* a usted en una persona nueva para que pueda, entre otras cosas, llegar a serlo. En esta pequeña obra le explicaremos cómo nuestros pensamientos y creencias determinan, en gran medida, lo que llegamos a ser y la calidad de nuestra vida. Le enseñaremos a tomar control de los asuntos más importantes que usted enfrenta a diario para que pueda modificar o alejarse de aquellas cosas o personas que le producen una insatisfacción emocional y le quitan la serenidad. También le mostraremos por qué fracasan las personas y cómo podemos garantizar el éxito en cada uno de nuestros proyectos.

Le explicaremos el método para asegurar que cada proyecto se transforme en un triunfo y le enseñaremos las herramientas que usan los triunfadores en su vida. Le llevaremos de la mano, paso a paso, hacia una mayor prosperidad e independencia. Le daremos la vara, le enseñaremos a pescar y le mostraremos el lago donde los peces abundan. Y si al final de la lectura, no se siente usted inspirado y transformado, hasta le podríamos devolver el dinero que pagó por el libro.

De igual forma, compartiremos con usted algunas de las leyes universales que influyen el comportamiento humano y aprenderá como aprovecharlas a su favor para ampliar su prosperidad, su felicidad y alcanzar una vida de plenitud.

Pero sólo dependerá de usted poder llegar a ese punto determinante en su vida. Para algunos será un punto de destino, pero para otros será solo un nuevo punto de partida. ¡Feliz viaje!

Capítulo 1

NUESTRA MENTE: CREADORA DE LA REALIDAD

A veces conocemos personas que han logrado la realización de todos sus deseos o han logrado lo que muchos llamarían una vida perfecta y plena y, sin embargo, no podemos dejar de preguntarnos cómo es que lo han hecho. Son personas que por su intelecto, conocimiento o nivel cultural, no deberían haber podido llegar a donde han llegado, si aplicamos la lógica y el razonamiento que nos han enseñado desde niños o lo comparamos con el patrón estereotipado de lo que constituyen los "*requisitos*" para triunfar.

Crecimos con ideas inculcadas por nuestros padres y maestros, que a su vez fueron impartidas a ellos por sus antecesores. Nos dijeron que sólo mediante el trabajo, el ahorro y el estudio podríamos, algún día, tener un bienestar económico. Sin embargo, de vez en cuando, conocemos personas que apenas han llegado a un quinto o sexto grado de escolaridad y son millonarios. Dueños de múltiples empresas, que nunca pasaron por una universidad y son incapaces de encontrar dónde está Italia en un mapa. Warren Buffet y Bill Gates, los dos hombres más ricos de los Estados Unidos, nunca se graduaron de ninguna universidad.

He conocido varias personas que hoy viven en los Estados Unidos, disfrutando de los múltiples beneficios de una vida acaudalada y opulenta, sin jamás haber aprendido a hablar inglés. Son personas que no completaron la escuela primaria y, aún así, poseen propiedades por valor de varios millones de dólares.

También he conocido a otros que han pasado por las mejores universidades, obteniendo maestrías y doctorados en difíciles disciplinas, pero viven una vida llena de penurias y necesidades. Pero, por favor, no mal interprete este comentario. De ninguna manera restamos importancia a la educación, sólo insistimos en que se requiere algo más que estudios para alcanzar el éxito. La educación es fundamental para sentar las bases de un proyecto ulterior que es lo que nos va a garantizar el triunfo y la prosperidad continua.

Después de estudiar durante varios años este fenómeno y tras haber aplicado en mi propia vida algunas simples modificaciones de comportamiento, he podido comprobar que existen leyes universales que rigen la dinámica de la interrelación del hombre con su medio ambiente y consigo mismo. Y la prosperidad y el bienestar del ser humano están directamente relacionados a esas leyes.

La prosperidad no es un estado financiero sino un estado de conciencia, una actitud mental. Hay hombres o mujeres que tienen mucho dinero pero son pobres de espíritu, mientras que hay personas que son prósperos de corazón y de espíritu y están llamados, sin mucho esfuerzo, a vivir una vida de prosperidad financiera. Los primeros pueden haber recibido sus fortunas por medio de una herencia, tras ganar un premio de la lotería o inclusive, por medio del trabajo. Sin embargo, pudieran terminar perdiéndolas porque en sus mentes no viven ni sienten la prosperidad. Los segundos, aunque pobres en un momento dado de espacio y tiempo, viven sólo una pobreza temporal porque la prosperidad que sienten los conducirá eventualmente a una vida de riquezas.

Este libro no pretende decir que es inútil estudiar o que todos no estemos obligados a superarnos intelectualmente. Por el contrario, como hijos de un Dios perfecto en cada uno de sus atributos, Dios espera de nosotros que nos superemos, aprovechando los talentos y oportunidades que Él nos ha dado y a diario nos da. Dios es el amor perfecto y el Amor no puede querer pobreza o mediocridad para sus hijos porque iría en abierta contradicción a Su esencia. La vida es un continuo aprendizaje y nunca debemos dejar de estudiar.

En el principio, nos dicen las Sagradas Escrituras, Dios creó al hombre y a la mujer para que gozaran de la plenitud de la creación. Sólo cuando el hombre, con su libre albedrío, desequilibró el orden y el equilibrio de su estado terrenal, aparecieron en su vida necesidades, dificultades y penurias. Pero lo más importante es reconocer que la primera voluntad del Creador fue que sus hijos vivieran y disfrutaran de la plenitud de la creación, sin escatimar nada. Si lo duda, lea el libro del Génesis.

El poder creativo de Dios no fue, ni nunca ha sido, un poder limitado. Si miramos a nuestro alrededor, podemos reconocer la abundancia que nos rodea. Veremos que Dios ha creado millones de especies de animales y plantas en nuestro planeta y trillones de cuerpos celestes, hasta donde hemos podido ver con las limitaciones de nuestros telescopios, en un Universo infinito del cual conocemos aún muy poco.

Dios es un Dios de exagerada abundancia y nunca crea nada en pequeñas cantidades. Y Dios nos permite ser creadores junto con Él. Somos nosotros los que nos imponemos límites que logran coartar nuestra capacidad creadora y la abundancia del Universo en relación a nuestra vida individual.

Todo, absolutamente todo, ha sido creado primero como un pensamiento, antes que este pensamiento tome forma y se haga realidad. Primero fue la inteligencia absoluta de Dios que concibió cada cosa como un pensamiento y luego, Su poder infinito, dió forma al pensamiento para manifestar la Creación.

El ser humano, creado por Dios a su imagen y semejanza, funciona de la misma forma. El hombre no ha podido crear nunca nada que no haya imaginado antes.

Si miramos a nuestro alrededor veremos una multitud de objetos creados por el hombre en todas las formas, tamaños y para todo tipo de propósitos. Cada uno de ellos comenzó primero, con un pensamiento mediante un proceso mental que fue dando forma a una idea hasta convertirla en un objeto tangible y material.

Por lo tanto podemos inferir que la capacidad imaginativa y creativa del hombre es uno de los más importantes regalos de Dios y un atributo, que, de cierta manera, Dios ha querido compartir con el hombre, aunque con algunas limitaciones. Dios creó los mares, el aire, el fuego, la luna y los planetas. Y el hombre, con su poder creativo, ha conquistado las profundidades de los océanos, vuela por los aires, ha dominado el fuego y ha llegado hasta la luna y los planetas. Pero cada una de esas conquistas comenzó con un simple pensamiento y un deseo de crear.

Dios creó toda vida: la espiritual, la humana, la animal y la vegetal. Pero también Dios le ha dado al hombre la capacidad creadora de formar nuevas vidas mediante un proceso reproductivo que continua hoy admirando y fascinando a la ciencia.

Si el hombre puede crear belleza por medio de las artes y hasta la ciencia le permite dominar los elementos… ¿porque habría de estar limitado a poder crear su propia prosperidad con tan sólo imaginarla y desearla?

A lo largo de estas páginas trataremos de demostrar que el hombre puede, de igual forma, *"crear"* su propia prosperidad si tan sólo aprende a utilizar su mente. Y es que la mente es el instrumento más poderoso con que Dios ha dotado al hombre. Capaz de amar, de soñar, de imaginar y luego crear algo que nunca ha existido, la mente humana es todavía un mundo misterioso y subutilizado por el hombre.

Por primera vez en la historia, un número cada vez mayor de científicos, filósofos y teólogos contemporáneos han comenzado a hablar públicamente de esto. Algunos le han llamado *"el gran secreto"*, mientras que otros lo han calificado como *"el poder del pensamiento positivo"*. Independientemente de cómo le llamemos, el uso de nuestra capacidad mental para influir positivamente nuestra vida, es algo que muchos han practicado desde épocas inmemoriales.

Se ha dicho que Da Vinci, Galileo, Verne y Einstein, entre otros, fueron hombres adelantados por muchos años a sus contemporáneos. Pero, acaso... ¿no habrá sido que estos hombres supieron comprender, desde muy temprano en sus vidas, esa inmutable ley universal que les permitió profundizar en la sabiduría de llegar a utilizar el poder de la mente para luego transformar su entorno? Y si fuera así, no habría nada que impidiera a cualquiera de nosotros, hacer lo mismo.

Sentemos, por el momento, la primera premisa: **seremos mañana lo que pensamos, sentimos y creemos hoy.**

Preguntaba el filósofo norteamericano Dr. Wayne Dyer al público que asistía a una de sus conferencias en 1998: ¿qué se obtendría si apretáramos fuertemente una naranja? Pues, "*jugo de naranja*", respondió la mayoría de los presentes. Y es que dentro de una naranja hay jugo de naranja y dentro de un melón hay jugo de melón y cuando ambos son apretados, arrojan lo que contienen en su interior.

Cada uno de nosotros es capaz de producir una serie de pensamientos y emociones a lo largo de un amplio espectro. Dios nos ha dotado de la capacidad de sentir un sin número de emociones y de la libertad para escoger lo que sentimos. Ante una situación determinada podemos sentir miedo, odio, compasión, indiferencia, envidia, alegría, amor, resentimiento; entre otras cosas. Cada una de esas sensaciones tiene la capacidad de atraer una sensación igual hacia nosotros.

Cada una de esas emociones es una poderosa fuerza de energía capaz de afectar nuestro ser, pero igualmente capaz de afectar nuestro alrededor. La luz y el sonido son energía. Nuestra mente funciona por medio de un intrincado proceso electroquímico que podemos expresar en términos de energía. Cada uno de los neurotransmisores cerebrales está compuesto de moléculas y átomos que son la base de toda energía. Un electroencefalograma no es más que la medición de ondas de energía que operan en nuestro cerebro.

Cuando sentimos amor, alegría, paz o euforia, no sólo nos sentimos muy bien sino que podemos de igual forma contagiar a otros con esos estados anímicos o energéticos positivos.

El jefe de una empresa que ha tenido un conflicto en su hogar, puede terminar despidiendo injustamente a un empleado en un momento de ofuscamiento, motivado por su estado anímico previo. El gobernante de una nación puede llegar a declarar la guerra a otra, causando la destrucción y muerte de millones de personas, por un simple estado emocional de odio, resentimiento, miedo o envidia. Y si alguien lo duda, que estudie entonces las vidas de Adolfo Hitler, Joseph Stalin o Mao Tse Tung.

Recientemente pudimos ver, con espanto, como un taciturno joven estudiante, destruyó treinta y dos vidas y luego terminó con la suya, en la Universidad de Virginia, por el simple hecho de sentirse resentido y envidioso de los demás estudiantes, muchos de ellos a los que ni siquiera conocía. Un proceso mental de emociones, profundamente negativas, terminó desencadenando la peor masacre de este tipo jamás ocurrida en Estados Unidos.

Hoy en día, decenas de millones de personas viven atormentadas por el miedo, la incertidumbre, las dificultades, las penurias, las enfermedades y la pobreza. No es que el mundo se haya puesto de acuerdo para pasarles la cuenta o para torturarlos a propósito. En verdad el hombre moderno vive en un mundo de constantes tribulaciones porque su mente está atribulada y como resultado, materializa a su alrededor, sin darse cuenta, los obstáculos y las dificultades que lo entristecen y afectan. La energía negativa de una mente creadora se manifiesta en la realidad.

Si en vez de miedo, odio o tristeza, proyectáramos seguridad, confianza, amor y alegría, nuestra vida cambiaría en un instante. Y mientras más personas hicieran lo mismo, iríamos transformando el planeta hasta convertirlo en un verdadero paraíso terrenal.

Quizás sea utópico pensar que todos abandonen sus

17

pensamientos negativos y adopten una nueva filosofía de vida. Tal vez sea imposible llegar a cientos de millones de personas y convencerlas que hagan eso. Pero sí es posible, y nada difícil, que usted lo comience a poner en práctica a nivel personal en su vida cotidiana.

La transformación gradual de nuestra vida está a nuestro alcance. El pasar de un estado de pobreza espiritual y financiera a un estado de abundancia y felicidad es perfectamente realizable. ¡Y en corto tiempo!

Cuando tomamos la decisión de reprogramar nuestra manera de pensar y replantear nuestras intenciones, el Universo entero pareciera conspirar a nuestro favor para que eso ocurra. Una serie de fuerzas y factores comienzan entonces a operar y nuestra vida adquiere una nueva dimensión a medida que las viejas formas van siendo suplantadas por pensamientos e intenciones nuevas.

Todo comienza primero por un pensamiento, que luego da paso a una idea, para después convertirse en un deseo y más tarde en una meta que finalmente desencadena un proceso que convierte el *pensamiento-idea-deseo-meta* en una realidad.

Capítulo 2

LA FELICIDAD Y EL MIEDO

Si bien el miedo es un mecanismo neurofisiológico innato en el hombre que le ha permitido sobrevivir desde épocas primitivas, en el mundo de hoy el miedo es el factor principal de su infelicidad. Pero antes de hablar del miedo, debemos tratar de entender un poco los conceptos de cerebro, mente y conciencia para comprender cómo y por qué se desencadena el miedo.

El cerebro, que pesa unas tres libras, es el órgano responsable del sentido, del pensamiento, de la memoria y del control del cuerpo. El cerebro controla nuestros movimientos conscientes, pero también los inconscientes como la respiración y la actividad del corazón. Para ello utiliza una intrincada red de alrededor de 100 mil millones de células llamadas neuronas.

La mente, por otra parte, es el nombre más común que se ha dado al fenómeno responsable del entendimiento, la capacidad de crear pensamientos, el raciocinio, la percepción, la emoción, la memoria, la imaginación y la voluntad, y otras habilidades cognitivas.

La **conciencia** se define en general como el conocimiento que un ser tiene de sí mismo y de su entorno y esta asociada al conocimiento que el espíritu humano tiene de su propia existencia, estados o actos. Conciencia se aplica también a lo ético y a los juicios sobre el bien y el mal de nuestras acciones.

Cuando una persona es sometida a una cirugía, su cerebro continúa funcionando a pesar de la anestesia, aunque su mente y su conciencia hayan sido temporalmente suspendidas. Al mismo tiempo, cuando una persona es

19

hipnotizada, el cerebro y la mente continúan funcionando bajo las órdenes del hipnotista, y aunque el paciente pierde el concepto de la realidad presente y puede ser inducido a una realidad pasada, la conciencia no le permite cometer actos socialmente reprobables bajo los efectos de la hipnosis.

Existen investigaciones científicas recientes, como las recopiladas por la periodista Lynne McTaggart en su libro "*The Field*" que rompen por completo con los conceptos que hasta ahora se tenían de la conciencia humana como un fenómeno exclusivamente neurocognitivo pues se ha podido demostrar que la conciencia trasciende los límites del cerebro y es capaz de funcionar independientemente del mismo. Anque no es el propósito de este libro ahondar en ese campo, los nuevos conceptos de conciencia humana incorporan elementos de la física cuántica y hasta de la espiritualidad.

Para despejar en lo posible lo antedicho, pudiéramos reflexionar un poco sobre las investigaciones del Dr. Raymond Moody.

A finales de la década del 60 y principios de la del 70, el médico norteamericano Raymond Moody se dedicó a la tarea de entrevistar a una serie de personas que habían tenido una muerte clínica por varios minutos y luego habían sido resucitados por los esfuerzos de médicos y paramédicos. Moody comenzó primero a entrevistar a sus pacientes y luego a otras personas que se acercaron a él para contar sus experiencias. Con el paso del tiempo, Moody logró investigar más de 20 mil casos de personas que habían sufrido una muerte clínica y habían regresado a la vida después de haber experimentado una muerte cerebral. Durante el tiempo que estuvieron muertos, sus cerebros dejaron de tener todas las funciones eléctroquímicas y toda actividad neurológica dejó de funcionar.

Sin embargo, absolutamente todos los entrevistados reportaron, con lujo de detalles, lo que vieron, escucharon y sintieron durante el tiempo en que ocurrió el evento. En casi todos los casos, la persona reportó un desprendimiento del cuerpo físico. Casi todos pudieron observar desde cierta altura el trabajo de los médicos o rescatistas que acudieron en su ayuda y trataban de salvarles la vida. De igual forma, los pacientes pudieron relatar con asombrosa precisión las palabras pronunciadas por esas mismas personas y las acciones que estos realizaron, así como los colores, olores, sonidos y demás detalles del mundo físico.

En muchísimas ocasiones, los pacientes o mejor dicho, los "*fallecidos*", pudieron ver lo que ocurría en sus casas, a decenas de millas de distancia del lugar donde los rescatistas trataban de revivirlos y hasta escuchar conversaciones que sostuvieron otras personas por teléfono, como si ellos estuvieran conectados a una extensión de la red . También explicaron que podían transportarse instantáneamente a cualquier lugar con sólo desearlo y atravesaron las paredes de edificios sin ningún impedimento.

En cada uno de los casos, las personas reportaron al Dr. Moody que en un momento dado comenzaron a alejarse por una especie de túnel hacia lo que llamaríamos "*el más allá*".

También mantuvieron toda su memoria y su capacidad cognitiva de pensar y de sentir emociones, percibir olores y colores y comprender situaciones. Luego describieron haber encontrado a seres queridos ya fallecidos o a ángeles luminosos al final del túnel con los cuales se comunicaron telepáticamente sin pronunciar palabras y finalmente recibieron la orden de regresar a sus cuerpos físicos porque sus vidas debían continuar. Casi todos describieron tener cuerpos luminosos de energía durante la experiencia.

Para poder entender lo anterior, imaginemos por un momento que pesamos el cuerpo de un moribundo que agoniza en la cama de un hospital y que su cuerpo pesa 150 libras. El peso se ha mantenido estable por varios días antes de su muerte. Ahora bien, si pesáramos el cadáver una hora después de la muerte, pesaría lo mismo. Ante esta realidad, podemos inferir que si bien toda su estructura cerebral aún está dentro de su cráneo, obviamente hay algo asociado a la vida que ya no está y ese cerebro ha cesado toda actividad.

El cerebro está, pero ya no funciona porque ha muerto. Ha cesado toda actividad electroquímica y neurológica. Sin embargo, todo parece indicar que la conciencia de esa persona mantiene una serie de habilidades y atributos que en vida estaban asociadas a la función cerebral pero que tras la muerte aún se mantienen en otro plano.

Si en vida, el cerebro es fuertemente golpeado por un traumatismo que afecta a un área específica de la corteza cerebral e impide la continuación de cierta función como el olfato, la vista o el habla, podemos decir que el daño a esa región del cerebro fue tan fuerte que deshabilitó temporal o permanentemente alguna función orgánica. Sin embargo, refiriéndonos de nuevo a las investigaciones del Dr. Moody, en pacientes que estuvieron clínicamente muertos luego de un accidente traumático y volvieron a vivir poco después, todo impedimento por daño cerebral pareció desaparecer una vez que el *alma-conciencia* se desprendió del cuerpo herido, volviendo el paciente a recuperar la totalidad de sus funciones sensoriales y cognitivas instantáneamente en "*el más allá*". También cesó todo dolor y sufrimiento asociados al accidente o al traumatismo. Sin embargo, después de haber vivido durante cierto tiempo en ese estado de paz y de armonía durante la experiencia extra corporal, las personas volvieron a recuperar sus dolores e incapacidades al regresar a la vida humana.

Entonces no nos quedaría más remedio que aceptar que el cerebro, la mente y la conciencia son cosas diferentes y que, en vida funcionan en una directa inter-relación, pero que después de la muerte, mientras el cerebro muere y se descompone orgánicamente, la conciencia continua viva no sólo manteniendo sus atributos sensoriales y cognitivos, pero también la memoria. Esta, probablemente habría pasado, después de estar almacenada en las células neuronales del cadáver, a un sistema o campo energético de luz que trasciende lo que llamamos muerte.

Los pacientes del Dr. Moody, después de su muerte clínica, no sólo recordaron episodios de sus vidas de infancia y adolescencia, sino que sintieron una inmensa alegría al volver a reencontrarse con sus seres queridos fallecidos. Podían ver, escuchar, sentir y recordar. Sin embargo, lo que no pudieron sentir después de la muerte fue el miedo.

Pero volvamos al punto central que nos preocupa, que es el responsable de nuestra infelicidad y nuestros fracasos y del cual nos alejamos momentáneamente: el miedo.

Tal pareciera que si bien el miedo es un mecanismo instintivo de defensa con el que el hombre ha sido dotado para su supervivencia terrenal, el miedo sólo se desencadena en esta vida y por lo tanto es una función puramente fisiológica del cerebro.

Cuando un niño pequeño es expuesto al fuego o a la electricidad por primera vez, no siente miedo porque no tiene una memoria previa que le sirva de referencia y le indique el peligro. Sin embargo, una vez que nos quemamos o nos coge la corriente por primera vez, en nuestra memoria se archiva esa información que nos protegerá en el futuro de situaciones similares. El corrientazo ha creado un punto de referencia. De igual forma, hay memorias que parecen ser instintivas o hereditarias que nos ayudan a la supervivencia en una etapa temprana cuando todavía no tenemos uso de razón. Es el miedo innato.

Si el miedo es una función neurosicofisiológica, entonces podemos inferir que el miedo, como toda función de nuestro cerebro, es una actividad electroenergética y se puede medir.

El miedo desencadena una serie de acciones en las glándulas del sistema endocrino que desatan, de forma casi instantánea, una serie de mecanismos de defensa en el resto de nuestro organismo.

El miedo hace que aumenten los niveles de adrenalina y cortisol en la sangre y por eso es que podemos correr más velozmente para huir de un peligro o pelear con más fuerza, si fuera necesario. Se contrae nuestra red cardiovascular para elevar la presión arterial e irrigar y oxigenar mejor todos los tejidos que han sido convocados con urgencia para enfrentar la amenaza. Nuestro corazón late más rápidamente, nuestros sentidos se agudizan por el exceso de sangre oxigenada que fluye de repente al cerebro y hasta producimos olores desagradables en nuestras axilas para intimidar al atacante.

El hombre primitivo necesitaba de este mecanismo de defensa accionado por el miedo, para poder sobrevivir y pasaba su existencia defendiéndose de los otros hombres, de los animales y de los peligros de la naturaleza.

El hombre moderno pasa su tiempo defendiéndose de los nuevos peligros de la vida moderna que no existían antes. Sentimos miedo del jefe, no porque nos vaya a matar, sino porque puede despedirnos y perderíamos el empleo. Sentimos miedo del tráfico porque nos hace que lleguemos tarde al trabajo y entonces tendremos problemas. Tememos al recaudador de impuestos, al cartero que nos trae la mala noticia que el seguro ha aumentado dramáticamente y hasta sentimos miedo del político, que nos aumenta los impuestos y despilfarra nuestro dinero sin que podamos hacer nada para evitarlo. ¿Cuántos no le temen al Tío Sam, que es el nombre popular que se da al Servicio de Rentas Internas en los Estados Unidos?

Y cuando no tenemos razón real, nos inventamos el miedo. Si el jefe está de mal humor porque peleó con su esposa, nos imaginamos que somos nosotros los causantes de su disgusto y empezamos a temer las represalias. Nos tocan a la puerta y antes de pensar que es un vecino que viene a invitarnos a una fiesta, pensamos que se trata de un cobrador.

A veces tememos a las cosas que no podemos controlar y las que, además, en la mayoría de los casos, son relativamente inofensivas. Le tememos a la lluvia, a los rayos, a la última epidemia anunciada por la televisión que se ha desatado en otro país, al calentamiento global y sobre todo, a quedarnos sin dinero.

El miedo a perder lo que tenemos, sobre todo el dinero, es

la principal preocupación de los norteamericanos y su principal fuente de infelicidad. Y no importa lo que ganemos, ese miedo siempre nos acompaña como nuestra propia sombra. El que gana $ 10,000 al año piensa que perderá el miedo a la pobreza cuando alcance los $ 50,000, pero los que ganan esa cifra tienen el mismo miedo de perderla, que los que ganan $ 300,000. Y el que gana 1 millón tiene mucho más miedo porque tiene más compromisos y ataduras con un estilo de vida que poco a poco lo ha esclavizado.

Si esas personas no logran anteponerse al miedo, muy bien podrían terminar perdiendo su fortuna porque su estado mental manifestará una serie de situaciones reales, adversas y negativas en sus vidas.

El ser humano vive sumido en un estado vibratorio dominado por sus miedos que le causa un constante estado de infelicidad. Si pudiéramos cancelar todos nuestros miedos, con una varita mágica, comenzaríamos inmediatamente a darnos cuenta de la belleza a nuestro alrededor y manifestaríamos una realidad de satisfacción.

El jefe pasaría a ser nuestro amigo, y si nos despide, nos vamos felizmente a otro empleo donde probablemente ganemos más y hagamos nuevos amigos. El cartero también sería la persona capaz de traernos un cheque o una buena noticia por medio del correo. El recaudador de impuestos sería visto como un simple trabajador más de la sociedad laboral. Con el político sí no hay arreglos porque el político, casi siempre, vive a expensas de los trabajadores, como un parásito. Pero no hay que tenerle miedo, sólo cambiarlo en la próxima elección.

Si pudiéramos despojarnos de nuestros miedos, nuestra felicidad aumentaría de repente porque podríamos disfrutar de la belleza de la naturaleza a nuestro alrededor y de la alegría y la felicidad que emanarían de nuestros familiares, amigos, vecinos y compañeros de trabajo. Y así, en un instante, transformaríamos nuestras propias vidas y contribuiríamos a transformar el planeta. De ahí que el consejo más repetido por Juan Pablo II durante su papado fue "no tengan miedo".

También debemos hacer una breve mención de la ansiedad, una especie de derivado del miedo que tiene una raíz interna más que un estímulo externo de peligro.

Si bien el miedo generalmente es de origen externo y de alguna forma se puede neutralizar con acciones específicas de defensa sin generar mayores conflictos, en la ansiedad la amenaza no es conocida; su origen es interno, impreciso y puede ocasionar conflictos. En la mayoría de los casos cuando alguien dice tener miedo, puede identificar con precisión la causa del mismo. Sin embargo, la mayoría de las personas que experimentan ansiedad no pueden precisar por qué se sienten así.

El miedo produce reacciones que consideramos de tipo agudo mientras que la ansiedad provoca reacciones emocionales que, medidas en el tiempo, consideramos de tipo crónico. Si en el miedo el peligro tiene una apariencia real, en la ansiedad, la apariencia del peligro es aun más fantasiosa y menos precisa.

Hablemos ahora del miedo o ansiedad injustificados que se crean en la mente del hombre. El miedo causado por una situación violenta e inesperada que ocurre a nuestro alrededor como pudiera ser un accidente tiene un efecto temporal y en la mayoría de los casos no causa una secuela a largo plazo. Inclusive un gran miedo temporal puede convertirse en una gran alegría como cuando un amigo entrañable, a quien no hemos visto por mucho tiempo, decide darnos un susto para anunciar su llegada. Del miedo inicial por la acción sorpresiva pasamos inmediatamente a la alegría de ver al amigo querido. Si bien ese miedo puede matarnos si es exageradamente intenso, el otro miedo al que llamaremos ansiedad es mucho más nocivo y peligroso porque mata lentamente.

La ciencia médica nos ha demostrado repetidamente el efecto perjudicial de la ansiedad sobre nuestro organismo. Disminuye notablemente nuestra capacidad inmunológica porque se debilitan las estructuras de defensa y entonces somos fácilmente invadidos por virus y bacterias. Surge la hipertensión arterial y terminamos sufriendo del corazón. Se desordenan nuestros patrones de sueño y apetito, entre otras cosas, y disminuye nuestro nivel de serotonina, el neurotransmisor que regula nuestro estado anímico. Hasta perdemos la energía mitocondrial cuando caemos en un estado depresivo que nos provoca fatiga.

Dijimos anteriormente que toda actividad neurosicofisiológica es una actividad electroenergética. Independientemente de si esa actividad es una función puramente neurocerebral o si es una actividad de nuestra conciencia como pudiera ser un estado vibratorio de alta espiritualidad al que llegamos mediante una intensa oración, esa energía se puede medir. Como toda energía tiene una longitud y una amplitud de onda, las emociones que generamos desencadenan una energía que no sólo puede afectar nuestro funcionamiento orgánico sino el medio ambiente que nos rodea.

Si cerramos los ojos e imaginamos una confrontación violenta con alguien, nuestros signos vitales comienzan a cambiar a medida que nos concentramos en esa fantasía mental. De igual forma, podemos con el poder de la mente, desacelerar los latidos de nuestro corazón y hasta la temperatura de nuestro cuerpo. Sin embargo, lo mismo ocurre con nuestras emociones en relación a nuestro entorno.

Ciertos animales de aguda percepción sensorial como los perros y los felinos pueden percibir nuestro estado de ánimo simplemente porque son capaces de captar las energías, las vibraciones y los olores que emanamos desde nuestro cuerpo cuando se produce en nosotros un cambio anímico. Como dijimos antes, toda onda electro energética tiene una longitud y una amplitud que se pueden medir. Toda onda tiene, pues, un estado vibratorio determinado.

Hay energías que estimulan y hay energías que dañan. Entre las ondas de sonido, hay ondas que pueden producir en el ser humano un estado de placer como cuando escuchamos un arpa o un piano, sin embargo, hay ondas de baja frecuencia por debajo de los 60 Hertz que logran producirnos una sensación de intranquilidad y ansiedad sin que nos demos cuenta porque, si bien, nuestro cerebro las registra, nuestro oído no las puede escuchar.

En el campo de las emociones, cada vez que sentimos algo, sea amor, alegría, odio o ansiedad, estamos generando energía corporal y emanando esa energía más allá de nuestro cuerpo.

La ley universal de la atracción, que no es más que la compenetración de los estados vibratorios afines, parece indicar que la energía mental que producen nuestras emociones puede llegar a afectar a otros a nuestro alrededor y tiene un impacto sobre nuestra vida futura.

Si pensamos y sentimos "*positivamente*" no sólo podemos contagiar con ese estado a las personas con quienes nos relacionamos, sino que producimos un campo vibratorio a nuestro alrededor, capaz de proyectarse hacia adelante en el tiempo y la distancia. A la persona feliz y positiva, todo suele salirle bien.

La persona que vive infelizmente, sobrecargada de emociones como el resentimiento, la envidia o el odio, termina contagiando con su estado a los demás y pasa una vida de dificultades y penurias de todo tipo. Es difícil que a ese tipo de personas las cosas les salgan bien, en gran medida, porque muchas cosas dependen de la interacción social que tengamos con nuestros semejantes.

Recuerdo hace un tiempo cuando trabajaba para una estación de radio local y tenía un compañero que era una persona de muy mala calidad humana. Considero a una persona mala cuando alguien es capaz de hacer daño a un semejante, a pleno propósito y de forma inmerecida e injustificada. Este personaje había sido el causante de que varios buenos compañeros perdieran sus empleos gracias a su mezquina labor de intrigas y mentiras. Y a mí me tocaba soportarlo durante una hora todas las mañanas. Sin embargo, mi posición laboral me hacía inmune a sus maquiavélicas conjuras, por lo que yo, en verdad, no tenia por qué preocuparme de él. La opción más fácil hubiera sido ignorarlo y dejar que siguiera conspirando contra los más indefensos.

Aun así, su simple presencia me causaba una incomodidad tremenda cada día. Varias veces pensé que yo estaba prejuiciado hacia él y que no tenía razón de sentirme así, pero por mucho que tratara, la presencia de aquel personaje me ponía mal. Hasta que un día decidí que necesitaba quitármelo de al lado y en vez de buscar que lo trasladaran o lo despidieran, cosa que yo hubiera logrado sin mucha dificultad, decidí marcharme yo de la empresa.

Esa resultó ser la mejor decisión de mi vida profesional, hasta este momento. Hoy comprendo que el bajo estado vibratorio de esa persona atentaba directamente contra el mío porque eran energías opuestas. Mi vida ordinaria, que hasta ese momento estaba sumida en una especie de insatisfacción y frustración causada por un ambiente laboral tóxico, cambió inmediatamente en todos los sentidos desde que me liberé de la presencia de aquel individuo que proyectaba tanta energía negativa.

Sin darme cuenta, la presencia desagradable de una persona, aunque por muy breve tiempo del día, era suficiente para trastornar mi estado anímico durante las otras veintitrés horas de la jornada. Una vez que esa energía desapareció de mi lado, mis pensamientos y mis emociones cotidianas se enfocaron hacia cosas más positivas y mi vida mejoró notablemente en todos los sentidos. Es que somos energía en toda nuestra dimensión.

Tampoco podemos ignorar que somos seres espirituales y que nuestro estado mental y emocional también afecta nuestro mundo espiritual. En todas las grandes religiones del mundo se dedica una gran importancia al espíritu. Desde épocas inmemoriales, cultivar el espíritu está asociado al amor, la felicidad y la perfección.

Las Sagradas Escrituras judeocristianas y el Nuevo Testamento nos hablan de espíritus de luz que sirven a Dios y distribuyen entre los hombres las bondades del poder divino. Pero también nos hablan de espíritus oscuros que, por desobediencia y soberbia, se alejaron de Dios y perdieron la capacidad de reflejar la luz divina, quedando como espíritus oscuros. El mal existe y no es un concepto abstracto o filosófico. El mal es una energía viva, inteligente

31

y muy presente a nuestro alrededor, aunque no la podamos ver, como tampoco podemos ver los gases de la atmósfera, el magnetismo o la fuerza de gravedad.

Podemos imaginar que cada uno de esos espíritus, en la medida que son luminosos u oscuros, son seres energéticos que emanan energías que pudiéramos describir como positivas o negativas desde nuestro punto de vista. Como seres energéticos, nos afectan a todos.

Si bien entramos en un campo hasta ahora muy poco estudiado y muy incomprendido, usando cierta lógica podemos imaginar que las energías negativas que pueda haber a nuestro alrededor nos producirán un efecto negativo en nuestros cuerpos y en nuestras vidas mientras que las energías positivas harán todo lo contrario.

¿Y si esas energías, positivas o negativas, en el mundo visible o invisible, fueran convocadas o atraídas por nosotros mismos de acuerdo a como nosotros escogemos nuestros pensamientos y emociones?

De la misma forma que las moscas se acercan a un tanque de basura maloliente mientras que las abejas se acercan a las flores perfumadas, podemos imaginar que al escoger pensamientos o emociones en una u otra región del espectro vibratorio, podemos también atraer a nosotros, situaciones, acontecimientos y realidades positivas o negativas.

Cuando nuestra mente produce pensamientos negativos hacia alguien o hacia alguna circunstancia específica, la estamos enfocando a estados de baja vibración que terminarán alterando nuestro estado anímico y corporal y que además atraerá la presencia de energías similares del mundo espiritual capaces de manifestar calamidades y adversidades a nuestro alrededor.

El odio, la ira, el resentimiento y la envidia, entre otras emociones, desequilibran nuestro ser y nuestro entorno y solo logran sumirnos en un mayor desequilibrio y una mayor infelicidad. ¿Alguna vez ha visto usted a un filántropo que lo inviten a participar de una pandilla de delincuentes o a algún pandillero pidiendo que lo acepten en el Club de Leones de su barrio? Por supuesto que no.

Lo que sucede es que las personas buenas, deseosas de ayudar a los demás, tratan de asociarse con personas, obras o causas similares donde puedan desarrollar su filantropía y altruismo por el bien de sus semejantes. De igual forma, los delincuentes buscan a otros delincuentes para cometer sus delitos, fechorías y pillajes.

Al albergar pensamientos o sentir emociones negativas, estamos creando a nuestro alrededor un mundo semejante al que fabricamos dentro de nuestra mente. Somos lo que nuestra mente es capaz de imaginar. Y nuestra mente es la co-creadora de nuestra realidad.

La felicidad, por el contrario, es un estado donde nos encontramos en paz y equilibrio con nuestro ser, con el universo y con el Creador. No importa cuánto dinero tengamos ni cuantos bienes materiales hayamos podido acaparar. La felicidad es un estado vibratorio, no un estado financiero.

Desde épocas ancestrales, todas las culturas, sean desarrolladas o no, han dependido de un código moral para promover la conducta positiva y constructiva y para desalentar los actos destructivos y dañinos. Esto ha ocurrido siempre, porque el hombre ha sido creado a imagen y semejanza de Dios, como nos dicen las

Escrituras, y lleva en su código genético y en su conciencia ancestral, una inclinación natural hacia el bien determinada por el espíritu divino que vive en cada uno de nosotros, aunque también llevemos dentro una innata capacidad de hacer el mal, determinada por nuestra condición humana.

Sin embargo, Dios es perfección absoluta y la perfección no conoce otra cosa que un equilibrio y una armonía perfectos, por lo que nos creó originalmente de esa forma. Por lo tanto, el hombre lleva en su espíritu esa necesidad de buscar la felicidad, por sobre todas las cosas, mediante un código de comportamiento.

Al principio de los tiempos, esos códigos morales eran totalmente relevantes y con frecuencia, afectaban directamente los asuntos relacionados con la salud y la supervivencia, ayudando a perpetuar a la familia, al grupo y a la nación. También proporcionaban el medio con el que los individuos mantenían los ideales de honestidad, confianza, respeto, decencia, honor y demás valores.

Pero al cambiar los tiempos, esos códigos de conducta han sido cuestionados y abandonados, y en algunos casos hasta reemplazados. Hoy en día hay millones de personas que van a la deriva por nuestra sociedad, donde los cambios ocurren rápidamente, sin ningún sentido de dirección moral que los ayude a guiar el comportamiento, y por lo tanto, el potencial de supervivencia y el estado de ánimo general de la sociedad ha continuado deteriorándose. Y el eje central de todo eso es el miedo.

En el plano puramente físico, el miedo individual se traduce en un estado individual de infelicidad que a su vez produce infelicidad colectiva. Vemos como el mismo, entonces causa dificultades a diferentes niveles tales como en la familia, la comunidad, el trabajo y la sociedad en general.

Si miramos en un plano total a ciertos países, tal parece que son sociedades enfermas y decadentes por el grado de infelicidad de sus habitantes. Y en muchos casos, esta decadencia desencadena violencia entre los propios habitantes de una nación o contra pueblos extranjeros y, entonces, el círculo vicioso se agrava. Sin embargo, la infelicidad tiene su origen dentro de la mente y el corazón de cada uno de nosotros.

En el plano espiritual, el miedo individual y el miedo colectivo también tienen el efecto de atraer sobre familias, ciudades, regiones y países, penurias y dificultades de todos tipos. Esto ocurre porque el perfecto orden del universo se desequilibra y las energías que Dios ha destinado para proteger y bendecir al hombre son bloqueadas por la propia conducta humana y se hacen inoperantes.

La sicología moderna ha desarrollado toda una ciencia para el estudio de la felicidad. Sin embargo, cada día el hombre es más infeliz porque cada día el hombre teme a más y más cosas.

Ni el dinero, ni el poder, ni los placeres mundanos, ni el sexo, ni la espiritualidad basada en el miedo, le van a devolver la felicidad al hombre.

Toda persona que desee lograr la felicidad en un corto tiempo y sin gastar una fortuna en astrólogos, adivinos o sicoanalistas, sólo tiene que mirar a su alrededor y descubrirla.

En vez de temer a perder el trabajo, pensemos en la abundancia de la creación y la abundancia llegará a nuestra vida. En vez de temer al jefe que nos puede despedir, pensemos en los atributos positivos de su persona e ignoremos lo demás y si perdemos el trabajo, no miremos eso como una pérdida sino como la oportunidad de un cambio para crecer y avanzar más.

Cuando seamos víctimas de una adversidad cotidiana con el automóvil, en el banco o en el supermercado, antes de que nuestros pensamientos desencadenen toda una serie de emociones negativas, demos gracias a Dios porque tenemos un auto aunque hoy no quiera funcionar. Demos gracias a Dios porque tenemos una cuenta bancaria con cierto dinero, aunque la tarjeta de acceso se haya trabado en el cajero automático o el empleado no nos haya atendido bien. Demos gracias a Dios por los alimentos que disponemos en el supermercado aunque la caja registradora se haya roto y la fila sea muy larga. Pensemos que hay muchos millones de personas que no disfrutan de las cosas que nosotros tenemos a nuestro alrededor, aunque a veces no funcionen como esperamos.

Poco a poco, usted se estará haciendo el hábito de mirar el lado positivo de las cosas, que es mucho más grande y más hermoso que el lado puramente negativo. Así ira desarrollando un comportamiento que elevará su estado anímico, su salud corporal y su mundo espiritual hacia nuevas alturas y cuando ese comportamiento sea casi automático, la prosperidad y la felicidad se irán materializando poco a poco en su vida.

Si desea practicar un ejercicio provechoso, vaya al banco y cambie un billete de 10 dólares en monedas de 25 centavos y colóquelas en una cajita a la entrada de su casa. Al mismo tiempo, póngase una bandita elástica en su muñeca izquierda.

Cada vez que tenga usted un pensamiento negativo hacia alguna persona o hacia alguna cosa, tire de la banda elástica de manera que sienta usted sobre la piel de su brazo un poco de dolor. Por el contrario, cada vez tenga un pensamiento o sienta algo positivo hacia alguien o hacia algo, prémiese echando una monedita en su bolsillo. Poco a poco, a nivel subconsciente, su mente aprenderá a relacionar el dolor causado por la bandita elástica con los pensamientos negativos. La mente, que rechaza el dolor porque lo asocia con el peligro y la muerte, irá poco a poco cancelando sus pensamientos negativos, aunque solo sea para no recibir el próximo latigazo de la bandita elástica.

De igual manera, la premiación de los pensamientos o acciones positivas con una monedita ira estableciendo una relación entre el bien y la prosperidad, que será fundamental para reprogramar su mente. Esto se conoce como retroalimentación biológica.

Comience cada mañana admirando la grandeza de la naturaleza. Dé gracias a Dios, lo mismo por la belleza de un cielo azul en un día despejado, que por las nubes y la lluvia, tan necesarias para la vegetación en los días de tormentas. Mire a su alrededor y admire y bendiga mentalmente todo lo que ve. Haga lo mismo con las personas extrañas que pasan por su lado y con los conocidos con los que se relacione cada día. Pida para ellos todas las bendiciones que Dios le ha dado a usted, aunque no los conozca. Medite en la grandeza de Dios

Al hacer de esto un hábito cada mañana, estará sentando la tónica de lo que va a ser el resto de su día. Poco a poco, su mente se reprogramará hacia un estado positivo y usted se acostumbrará a ver el mundo a través de un nuevo prisma de positivismo.

Cuando alguien le haga algo malo o feo, sea en el tránsito o en un lugar público, perdónelo en su mente, pídale a Dios que ilumine a esa persona para que sea feliz y justifique su comportamiento pensando que lo hizo sin proponérselo.

Usted no se puede imaginar el cambio transformador que ocurrirá poco a poco en su vida cuando haga de eso un hábito constante. Al principio no será fácil pero poco a poco se convertirá en una cosa casi automática. Cambiarán su salud física, su estado anímico, la calidad de las horas de sueño y su serenidad será mayor. Y usted vivirá a gusto consigo mismo a todas horas del día.

Y si desea sentirse todavía mejor, entonces aumente su nivel de gratitud, agradeciendo aun más a Dios por cada regalo recibido y pídale nuevas oportunidades de hacer el bien a los demás, compartiendo con ellos un poquito de lo suyo.

El poder creativo de su mente se manifestará de mil maneras a su alrededor y la transformación será tan aparente en todos los sentidos, que todos a su alrededor lo notarán. Prepárese a conocer una nueva dimensión de la vida.

Capítulo 3

EL CONTROL DE NUESTRA VIDA

El ser humano se siente en paz y a gusto, en la medida en que percibe que controla su propia vida. Por el contrario, lo embarga una sensación negativa cuando descubre que no ejerce control alguno sobre las cosas importantes o que su vida se haya a merced de fuerzas externas o de terceras personas.

En sicología se conoce esto como la teoría del *"lugar de control"*. Generalmente los estados de estrés, ansiedad, tensión y enfermedad sicosomática aparecen como consecuencia de sentirse la persona controlada o que no controla alguna parte importante de su vida.

Cuando percibimos que factores como las deudas, la actitud abusiva de un jefe, una enfermedad, una relación sentimental tóxica, o la voluntad de otra persona domina y afecta nuestra vida, comenzamos a sufrir estrés y ansiedad.

El estrés se manifiesta en forma de irritación, mal humor, frustración y resentimiento y, si no se ataca rápidamente, termina degenerando en un estado anímico que provoca insomnio, indigestión, pérdida de inmunidad, tristeza y depresión.

Para ser felices, necesitamos estar en control de nuestra vida lo más posible, lo que nos hará sentirnos responsables de nuestras propias circunstancias, confiados y serenos. Si por el contrario, la falta de control nos hace sentir impotentes, atrapados y víctimas de una situación incierta, terminaremos siendo infelices.

Las personas que se encuentran dentro de una relación sentimental donde son controladas y manipuladas por alguien, experimentan un estrés intenso y constante, y terminan viviendo una vida de insatisfacción e infelicidad, hasta que logran romper los amarres de control que las atan. Esto es muy común entre las víctimas de violencia

39

doméstica.

El tomar control de nuestra vida comienza por el control de nuestros pensamientos, que es lo único sobre lo que podemos ejercer un completo dominio. Lo que pensamos acerca de una situación específica, determinará nuestros sentimientos y, por consiguiente, nuestra conducta.

Cuando acumulamos un conjunto de pensamientos sobre un tema específico, podemos llegar a formar una opinión en nuestra mente. Cuando esa opinión se convierte en una interpretación o valoración subjetiva que uno hace de sí mismo, de los demás o del mundo circundante, comenzamos a formar una creencia.

Sin embargo, muchas de nuestras creencias son negativas, porque nuestros pensamientos fueron también negativos en un principio. Cuando las creencias más importantes son negativas y terminan convirtiéndose en firmes convicciones y prejuicios que, en muchas ocasiones, carecen de una base científica y se alejan de la verdad, se convierten en poderosas corrientes que nos dirigen hacia la insatisfacción y la infelicidad.

Es importante poder controlar y neutralizar los pensamientos negativos antes que lleguen a convertirse en falsas creencias o en prejuicios que nos alejan de la verdad y la felicidad. Una de las frases más sabias de la Biblia es "*la verdad os hará libres*", porque en efecto, cuando no poseemos la verdad somos esclavos de nuestras propias creencias.

De igual manera, debemos ser capaces de neutralizar aquellos factores externos que nos roban la paz y la serenidad. Un empleo que detestamos, una relación sentimental que nos intoxica, una persona amiga que abusa de nosotros, un vicio que nos esclaviza, son factores que nos privan de la serenidad que todo ser humano necesita para econtrar la armonía necesaria que lo conducirá a una vida de plenitud.

No se puede alcanzar la plenitud de la vida si no podemos disfrutar de la serenidad y la paz que son imprescindibles para una constante y profunda reflexión sobre nuestro mundo emocional y espiritual. Nadie que viva en constante ebullición, entre ruidos y alborotos, será capaz de analizar su propia persona y emprender las correcciones que habrán de propiciarle una vida más feliz.

Para ello es preciso disponer de serenidad y hasta de momentos de silencio donde se puedan escuchar las propias voces de los pensamientos. La autodisciplina, el autodominio y el autocontrol se consiguen desde el momento en que podemos dirigir y controlar nuestros pensamientos.

Básicamente, hay dos maneras en que podemos controlar cualquier situación que nos esté causando ansiedad, tensión o incomodidad. En primer lugar, podemos imponernos a la situación o tratar de modificar los factores que nos causan ese estado anímico negativo. Si una vecina o un amigo constantemente nos visita para hablar mal de los demás, podemos hablarle claro, y dejarle saber a esa persona que eso nos incomoda y no puede continuar.

En segundo lugar, para evitar cualquier situación adversa que nos desestabiliza emocionalmente, podemos simplemente alejarnos de ese ambiente o de esa persona. Hay veces que se puede recobrar el control, apartándonos de la persona o de la situación que nos molesta y dedicándonos a cualquier otra cosa. En ocasiones, apagar un teléfono o desconectar el timbre de la puerta nos protege de situaciones externas que llegan para robarnos la serenidad. No dude en desconectarse si siente que necesita hacerlo. El mundo no dejará de girar.

En ocasiones, lo mejor que puede ocurrir con una situación incontrolable es que desaparezca. Cuando nos hemos alejado de alguna relación conflictiva o de un trabajo desagradable, experimentamos una sensación de alivio y libertad. Desde el momento en que decidimos no continuar y damos por finalizada la lucha, empezamos a recobrar el control y nos inunda una sensación de paz. Entonces, liberados ya de esa incomodidad, podemos enfocarnos en cosas más positivas.

Por eso es muy importante que sepamos exactamente lo que queremos y aprendamos a tomar las decisiones que nos permitan sentirnos en control de nuestras vidas. La confianza que sentimos en nosotros mismos cuando estamos en control de algo, se manifiesta en una mayor paz y serenidad. Las personas que tengan un propósito claro y un plan preconcebido para lograrlo siempre tendrán ventaja sobre las que sean indecisas e inseguras.

Para poner en práctica lo que hemos aprendido en este capítulo, es preciso que hagamos una lista de las cosas que nos roban la paz y la serenidad. Examine cada área de su vida y trate de identificar las cosas que usted controla y aquéllas que le producen ansiedad, tensión o incomodidad por falta de control. Enumere detalladamente las cosas o personas que perturban su serenidad.

Después deberá determinar qué pasos específicos puede o debe tomar para tener dominio y control sobre esas aéreas de su vida que le están causando desasosiego. Decida cuáles son las situaciones que pueden y merecen ser modificadas por una firme intervención suya. Piense también cuáles son las situaciones que tiene que abandonar o las personas que tiene que dejar de lado para sentirse mejor. Cuando lo haga, su vida cambiará como de la noche al día.

Una de sus mayores responsabilidades es la de poder controlar cada aspecto de su vida. Mientras más áreas controle, mayor será su serenidad. Ese sentido de control es la base para alcanzar un mayor éxito y felicidad en el futuro. Es un paso ineludible para acercarnos a la plenitud de la vida.

Capítulo 4

LA LEY DE CAUSA Y EFECTO

En la vida, prácticamente no existen las casualidades. Casi todo obedece a una ley universal de causa y efecto que puede enunciarse afirmando que en la vida todo efecto tiene una causa específica. Esta ley proclama que todo sucede por alguna razón, se conozca ésta o no.

El árbol crece porque primero una semilla cayó a la tierra y germinó. La lluvia se produce porque el vapor de agua ascendió, se condensó y se formaron las nubes. El Sol nace por el este y se oculta por el oeste porque la Tierra es redonda y gira sobre su propio eje. Las mareas son causadas por la proximidad de la Luna.

No existen hechos accidentales. Vivimos en un universo perfectamente ordenado, regido estrictamente por la infinita sabiduría de Dios y donde, aunque se nos da el libre albedrío para poder decidir, debemos actuar dentro del marco o comprensión del funcionamiento conjunto de todas las leyes o principios universales. Aún, dentro del caos natural, hay un orden específico.

Un marino no puede caprichosamente poner la proa de un velero en contra del viento porque el barco no avanzará. El reloj y el tiempo caminan siempre hacia adelante. Cuando algo cae, lo hace siempre hacia abajo, salvo que estemos en el espacio donde no existe la gravedad.

La ley de causa y efecto nos demuestra que hay determinadas causas del éxito y determinadas causas del fracaso. Si usted decide armar una fábrica de hielo durante el invierno en Canadá, no venderá su producto. El efecto de las pobres ventas será por causa de una pésima planificación. Pero si, por el contrario, la fábrica fuera de estufas para la calefacción, su producto probablemente sería muy cotizado.

También hay causas específicas para la pobreza y para la prosperidad, para la felicidad y la infelicidad. Si nos acostumbramos a tener sentimientos negativos como la envidia, la codicia, o el rencor y nos habituamos a pensar en términos negativos con respecto a nuestras vidas y las de los demás, los resultados que obtendremos serán entonces negativos. Si por el contrario, pensamos en términos positivos y luchamos para ser mejores personas cada día, entonces lograremos resultados positivos en nuestra vida.

Toda creación, incluso la Creación de Dios, comenzó primero por un pensamiento. Primero imaginamos algo antes de darle forma visible y hacerlo realidad. Si el primer carpintero que imaginó una mesa, la hubiera imaginado con sólo dos patas, la primera mesa se hubiera caído y hasta tanto alguien le hubiera agregado, por lo menos, una pata más, el pensamiento hubiera terminado siendo una creación fracasada.

Por la ley de causa y efecto, si cambiamos la calidad de nuestros pensamientos, cambiará la calidad de nuestra vida, si tenemos en cuenta que el pensamiento es el arma más importante y poderosa para lograr nuestros objetivos.

Si hay un efecto que deseamos vehementemente producir en nuestra vida, lo único que tenemos que hacer es retroceder hasta sus causas y repetirlas. Y si hay un efecto que nos está perjudicando, del mismo modo, podemos retroceder hasta sus causas y eliminarlas.

Esta ley es tan simple que deja perpleja a la mayoría de la gente. Las personas, por sistema, hacen o repiten una y otra vez aquellas cosas o situaciones que les producen infelicidad y frustración, culpando a los demás y a la sociedad de sus problemas. No se dan cuenta que tienen en sus manos la posibilidad de lograr resultados diferentes con solo implementar ciertos cambios.

Una mujer se separa de un hombre abusivo, pero esta tan condicionada a vivir una vida de abusos que puede terminar buscando otra pareja que se comporte igual. Dice el refrán popular que el hombre es el único animal que tropieza dos veces con la misma piedra.

La mayoría de la gente se obstina en seguir haciendo las mismas cosas, del mismo modo, con la esperanza de obtener resultados diferentes. Lo que tenemos que hacer es enfrentarnos abiertamente a esa tendencia, hasta corregirla.

A la ley de causa y efecto se le llama también la ley de *siembra y cosecha* porque desde épocas milenarias, la sabiduría popular ha dicho, a través de frases y refranes, que solo cosechamos lo que hemos sembrado antes. Recogemos hoy lo que hemos plantado en el pasado. Si en el futuro deseamos recoger una cosecha diferente en cualquier terreno de la vida, tenemos que plantar ahora semillas diferentes.

La más importante interpretación de la ley de causa y efecto, para comprender lo que somos en el presente y poder alcanzar lo que queremos ser en el futuro, es que los pensamientos son causas y las situaciones son efectos.

Nuestros pensamientos son las causas primarias de las condiciones de nuestra vida. Todo lo que forma parte de nuestra experiencia de vida, ha comenzado con algún pensamiento propio o inculcado por otra persona.

Esos pensamientos pueden haber sido positivos, negativos o neutros. Cuando alguien nos enseña cuidadosa y delicadamente a nadar a muy corta edad, asociamos el agua con pensamientos positivos y termina gustándonos el contacto con ella. En lo adelante, encontraremos un gran placer en bañarnos en una piscina o en el mar. Pero si nuestra primera experiencia fuera traumática o dolorosa, asociaríamos en lo adelante el agua con pensamientos negativos de peligro.

En muchas ocasiones, los miedos y las fobias están

causados por experiencias traumáticas del pasado. Si mediante una terapia sicológica podemos volver a ese momento pasado y cambiarlo, se producirá un efecto positivo en el presente y la fobia desaparecerá.

Todo lo que somos es el resultado de nuestro modo de pensar. Si cambiamos la calidad de nuestros pensamientos, cambiará la calidad de nuestra vida. Por lo tanto, sabemos que si modificamos los pensamientos ahora, cambiará definitivamente el futuro.

Cada cambio en su experiencia exterior traerá consigo un cambio en su experiencia interior. Aléjese de esa persona tóxica o abandone un empleo que le disgusta y recuperará inmediatamente la serenidad que ese factor externo le ha estado robando.

Al mismo tiempo, cada cambio en su experiencia interior producirá un cambio en su experiencia exterior. Sea más paciente o tolerante con los demás y sonría más a menudo y usted verá como cambian de inmediato las personas a su alrededor y el mundo se hará más placentero.

Lo hermoso de esta ley inmutable es que incorporándola a un nivel mental podemos alcanzar un control completo de nuestros pensamientos y sentimientos y afectar positivamente el resultado de las cosas y el futuro.

Mediante la aplicación de la ley de causa y efecto nos colocamos en armonía con nosotros mismos y con el universo. Y al poder controlar mejor nuestra vida, nos sentiremos más realizados y satisfechos.

Cualquier aspecto relativo al éxito o al fracaso puede ser relacionado a esta ley básica. Si aprendemos a modificar las causas, terminaremos obteniendo los resultados esperados, en la misma medida en que cada cosecha depende de la siembra que hayamos hecho.

Cuando practicamos el control de nuestra vida y

aprendemos a modificar nuestros pensamientos, somos capaces de transformar nuestro futuro en una forma casi sorprendente que nos acercará cada vez más a ese estado de felicidad y plenitud que todos perseguimos.

Como ejercicio práctico a las enseñanzas de este capítulo, haga una lista de las cosas que ha hecho en los últimos meses. Escriba en ella los proyectos recientes que ha terminado, sin importar si fueron éxitos o fracasos. Luego trate de recordar los pensamientos que estuvieron previamente asociados a cada proyecto.

Por ejemplo, si usted se reunió con su jefe para pedirle un aumento de sueldo y no se lo concedió, trate de recordar si acaso tenía usted la certeza, de ante mano, que el jefe le negaría el aumento porque es muy tacaño. Si fue a pedir un préstamo al banco y se lo otorgaron con mayor rapidez de lo que usted pensaba, trate de recordar qué pensamientos previos conformaron su estado mental antes de reunirse con el oficial bancario.

Si hace eso detalladamente, podrá darse cuenta que muchos de sus éxitos y fracasos estuvieron condicionados por sus propios pensamientos y actitudes positivas o negativas, de ante mano. Con un poco de práctica y perseverancia, aprenderá a modificar sus pensamientos antes de tomar pasos importantes en la vida o de iniciar nuevos proyectos. Su vida mejorará en la medida en que sus pensamientos positivos superen a los negativos.

De esa forma, aprenderá a expulsar de su mente los pensamientos negativos antes de enfrentar una situación y seguramente podrá influir positivamente en el resultado final.

Si en el momento en que un policía lo conmina a detenerse con las luces rojas y azules de su auto, usted comienza a pensar mal del agente y cree que se está cometiendo un atropello, seguramente se bajará de su automóvil de mal humor, lo que será percibido por el oficial, que terminará poniéndole una multa sin muchas contemplaciones.

Si por el contrario, aún si usted cree que no ha violado la ley, piensa que el agente puede haber cometido una sana equivocación en su esfuerzo por salvar vidas y evitar accidentes, su actitud será percibida por el oficial y es probable que la cosa no pase de una amonestación

La ley de causa y efecto en relación a nuestros pensamientos y actitudes puede llegar a ser una aliada importante para alcanzar las metas deseadas que nos propicien una mayor felicidad y nos acerquen a la plenitud de la vida.

Jamás ponga en duda el siguiente axioma: *"seremos mañana lo que pensamos hoy"*. Si desea tener un futuro brillante, exitoso, próspero, libre de la mayoría de las dificultades que lo agobian hoy y en armonía consigo mismo y con los demás, empiece por analizar meticulosamente su manera de pensar. Modifique su actitud hacia cada situación de la vida, evite los pensamientos negativos, substitúyalos por pensamientos positivos y aprenda a ver y a valorar el lado positivo de las cosas. De esa manera usted estará incidiendo de una forma positiva en cada aspecto de su vida y lo positivo se tornará cada vez más frecuente y más abundante.

Capítulo 5

LAS CREENCIAS

Como dijimos anteriormente, nuestras creencias son en realidad interpretaciones o valoraciones subjetivas que hacemos de nosotros mismos, de los demás o del mundo que nos rodea. En este capítulo trataremos aspectos muy parecidos a los que comentamos en el capitulo anterior.

Aquello en lo que creemos emocionalmente es lo que en definitiva se convierte en nuestra realidad. Cuanto más intensamente creemos que algo es verdad, más probabilidades hay que ese algo se convierta y materialice en una realidad.

Si una persona cree firmemente en los seres extraterrestres y ve una luz en el cielo en medio de la noche, no habrá nadie que pueda convencerlo que se trató de un avión, un meteorito, una estrella o cualquier otro fenómeno natural. Sus creencias lo harán pensar que se trata de una nave espacial.

Si por el contrario, una persona es atea, así le crezca una mano a un manco por la intercesión de toda una comunidad orante, no habrá nada ni nadie que pueda convencerlo que se trató de un milagro divino.

Si usted cree firmemente en una cosa, no es posible que se pueda imaginar que sea de otra forma. Eso es común en las personas que siguen con pasión una ideología o un partido político. Cuando llegan a creer a ciegas en algo, nada ni nadie puede hacerles cambiar de opinión.

Nuestras creencias (no nos referimos a las creencias religiosas que están determinadas por el don de la fe) nos dan una especie de visión encasillada y hacen que ignoremos toda información que no esté de acuerdo con lo que hemos decidido creer.

Si creemos positivamente que estamos llamados a ser algo grande en la vida, haremos todo lo posible, inclusive a nivel subconsciente, para avanzar hacia esa meta y no habrá nada que nos detenga.

De igual forma, si creemos que el éxito está supeditado a la suerte o a la casualidad, o que toca sólo a las personas que han nacido dentro de familias ricas, nuestras creencias y nuestro subconsciente pueden ser factores determinantes de nuestros fracasos.

Por lo general, el mundo se divide entre optimistas y pesimistas. El profesor Martin Seligman, sicólogo de la Universidad de Pennsilvania que ha estudiado las diferencias entre los optimistas y los pesimistas, describe a un optimista como aquél que cuando algo le sale mal, se plantea qué es lo que tiene que hacer o cambiar para lograr el éxito. Según Seligman, un pesimista es aquel que se ve a sí mismo como impotente ante un mundo adverso, o a merced de su propio carácter, que le es imposible cambiar. En conclusión, el optimista se responsabiliza de sus acciones y el pesimista espera que el mundo cambie o que la situación mejore.

Los optimistas operan desde una perspectiva positiva y ven el mundo como un escenario lleno de oportunidades y de retos. Los pesimistas, por el contrario, mantienen una actitud que fue inculcada por un profundo pesimismo de los adultos que contribuyeron a su formación o por una serie de fracasos en esa misma etapa de formación que terminaron traumatizando al individuo, haciéndole creer que el mundo es su enemigo y que él es un inepto.

El pesimista piensa que, como nació pobre, no importa lo que haga o cuan duro trabaje, siempre lo seguirá siendo, por lo tanto, es inútil esforzarse. De esa forma ha establecido una creencia que determinará su grado de prosperidad en la vida. Y su pesimismo se retroalimenta de su creencia, propiciando su próximo fracaso.

Los pesimistas creen que la injusticia, la opresión y la desgracia los persiguen por todas partes. Cuando las cosas les van mal, como casi siempre les ocurre por su actitud mental, lo atribuyen a la mala suerte o a la maldad de la gente. Se consideran víctimas de la sociedad y poseen una pésima auto estima. Y en realidad las cosas les van mal porque ellos han establecido que así sea.

Los optimistas, por el contrario, creen que el mundo es un lugar bastante bueno para vivir y tienen la tendencia a ver el lado bueno de la gente y de las situaciones y a creer que a su alrededor se presentan oportunidades que pueden ser aprovechadas por ellos. Por lo general, casi siempre son personas positivas y animadas que confían en ellos mismos y poseen actitudes mentales que les permiten responder constructivamente a los factores imponderables o a los inevitables obstáculos de la vida cotidiana. El positivismo de sus pensamientos y creencias es un aspecto clave de sus éxitos.

Si creemos algo con suficiente fuerza, lo haremos parte de nuestra propia realidad. Nos comportamos e interactuamos con los demás de acuerdo a nuestras creencias. Y cuando esas creencias han sido determinadas dentro de un marco pesimista, se convierten en creencias limitadoras que nos impiden alcanzar las metas y los objetivos que hacen posible la plenitud y la felicidad.

Muchas de nuestras creencias han sido determinadas por falsas premisas o por una percepción distorsionada de la realidad. Se convierten entonces en convicciones negativas o en prejuicios limitadores que destruyen nuestro potencial humano. Si nos convencemos de una serie de falsedades, podemos terminar destruyendo nuestra capacidad de acción positiva.

Si una persona se cree fea, se comportará de tal manera en su forma de vestir, que llegará a ser percibida como tal por los demás. Si por el contrario, una persona se cree hermosa y atractiva, aunque en realidad no sea muy agraciada físicamente, se comportará de una forma tan positiva y agradable al vestir o al arreglarse y proyectará un grado de confianza tal, que terminará cautivando a los demás.

Como ejercicio para poner en práctica lo aprendido en este capítulo, haga una lista de sus creencias. Utilice palabras claves como dinero, amor, prosperidad, inteligencia, suerte, éxito, fracaso, pobreza, trabajo, matrimonio, felicidad, dificultad, etc... Escriba entonces lo que usted cree sobre cada una de esas palabras.

Esa lista le revelará si usted es una persona optimista o si el pesimismo domina sus creencias. A partir de ese momento, y siguiendo las recomendaciones que haremos más adelante, podrá usted comenzar a modificar sus creencias con el propósito de mejorar su futuro.

Si le cuesta trabajo llegar a definir cómo es que usted piensa sobre los tópicos de la lista anterior, pídale entonces a personas de su círculo íntimo que lo ayuden en esas definiciones. A veces, las personas que están diariamente a nuestro alrededor poseen una perspectiva más exacta de nosotros, que nosotros mismos.

Es conveniente escribir nuestros pensamientos sobre esos aspectos importantes de la vida, en varias sesiones. De esa forma podremos tomarnos tiempo para pensar y reflexionar sobre lo que verdaderamente creemos y pensamos de cada una de esas áreas.

Capítulo 6

LA LEY DE RECIPROCIDAD

Vivimos en un universo ordenado y equilibrado. El universo se rige por una serie de leyes que gobiernan su funcionamiento, prácticamente a todos los niveles. En el plano físico, existen leyes como la ley gravitacional de la atracción de los cuerpos que es lo que hace que la Tierra orbite alrededor del Sol, la Luna alrededor de la Tierra y se produzcan las mareas.

El electromagnetismo y la gravedad, por ejemplo, son leyes que determinan una serie de factores y deben ser tomadas en cuenta en ciertos y determinados momentos. Cuando el diseñador de un avión planifica un nuevo modelo, debe considerar el peso del aparato, el tamaño de sus alas y la potencia de sus motores, siempre en referencia a la ley de gravedad que hará que el aeroplano caiga a tierra si no logra desarrollar una sustentación aerodinámica que lo mantenga en el aire en todo momento. Si aumenta el peso, debe también aumentar la potencia de los motores o el tamaño de las alas.

El comportamiento humano también está sujeto a una serie de leyes, que aunque no son físicas, no por eso dejan de ser ciertas. Y aunque no las vemos, no las podemos ignorar, como tampoco podemos descartar la fuerza de gravedad o el magnetismo que tampoco vemos, aunque sí los podemos medir científicamente.

La Ley de Reciprocidad establece que usted podrá recibir en la vida, mucho más de lo que usted es capaz de entregar a los demás. Para bien o para mal, lo que hacemos por el prójimo, lo recibiremos más tarde o más temprano en grado multiplicado. Lo que sembramos hoy, lo cosecharemos abundantemente en el mañana. Sin embargo, mientras que el bien nos es devuelto multiplicado

54

por infinito, el mal apenas nos cobra un ínfimo porcentaje en relación al mal que nosotros hemos causado. El Universo es generoso con nuestras acciones y compasivo con nuestra ignorancia. De una sola semilla, nace un árbol capaz de dar miles de manzanas.

Si usted promueve y ofrece su amistad, terminará teniendo muchísimos amigos. Si usted ofrece sonrisas y amor a todo el que se le acerca, en poco tiempo será una persona muy querida y apreciada por los demás. Quienes caminan por el mundo proyectando indiferencia o desdén por sus semejantes, jamás serán tomados en cuenta porque el mundo los tratará de igual manera. Y quienes promueven el odio y la violencia, serán odiados y repudiados de la misma forma.

Si tiene alguna duda sobre la ley de reciprocidad, haga el siguiente experimento. Camine por una acera esbozando una amplia sonrisa. Mire directamente a los ojos de quienes se van acercando en dirección contraria antes que lleguen a su lado. Salude sonriendo afablemente a todo extraño que se le aproxime.

En pocos segundos, habrá creado un ambiente positivo a su alrededor y todos reciprocarán en mayor o menor medida mientras se acercan a usted. Casi todos, sin darse cuenta, caminarán más cerca de usted al pasar a su lado, de lo que antes hubieran hecho porque instantáneamente han comenzado a sentir una atracción positiva hacia su persona. Algunos, hasta se le quedarán mirando agradablemente cuando pasen junto a usted.

Más adelante, haga todo lo contrario. Mientras se le acerquen las personas por la acera, mírelos fijamente con cara de pocos amigos y trate de reflejar dureza y hostilidad en su mirada. Notará que a medida que los demás se le acercan, desviarán ligeramente sus pasos para alejarse de usted lo más posible y algunos hasta lo mirarán con la misma agresividad con que usted los ha mirado. Son simples extraños que reaccionan de acuerdo a los estímulos que proyectamos hacia ellos.

Hay personas que van por el mundo propagando una oleada de buena voluntad que tiene un efecto contagioso y estimulante. Sonríen a los extraños, le abren la puerta de un banco o le ceden el asiento a una dama en algún lugar público. Si alguien deja caer algo, ellos tratarán de recogerlo para devolverlo a su dueño. Y cuando llegan a algún establecimiento, saludan amablemente a los empleados que allí trabajan aunque no los conozcan, teniendo algún detalle individual con cada uno.

Sin proponérselo, ese tipo de persona ha logrado conseguir la llave universal que abre todas las puertas. Rara vez encontrarán grandes dificultades en la vida. Y cuando tengan necesidad de un servicio en un establecimiento público, los empleados que allí trabajan los ayudarán con agrado y se saldrán de su camino para atenderlos con un esmero especial.

Si se les pincha un neumático a la orilla de la carretera, no pasará mucho tiempo antes que alguien se detenga a ayudar porque reconocerán que se trata de esa persona amable y jovial que han visto antes.

Por el contrario, todos conocemos gente que va por el mundo propagando una oleada de negativismo. Son personas de mal carácter que tratan con aspereza a los demás. Nunca sonríen, jamás hacen un favor y son incapaces de reconocer o estimular los valores humanos de sus semejantes. Se molestan por todo y carecen de la paciencia y tolerancia necesarias para convivir en comunidad. Son personas muy difíciles y negativas.

Todo el mundo estaría dispuesto a acariciar a un conejito pero nadie se atrevería a hacer lo mismo con un puercoespín por el peligro potencial de ser lastimado. Esos puercoespines humanos son sus peores enemigos. A veces llegan a un establecimiento público como un banco o un aeropuerto y proyectan tal hostilidad en la mirada o en su comportamiento crónico, que aunque no hayan pronunciado una sola palabra, atraen hacia si un trato áspero y seco de los empleados que allí trabajan, lo cual a su vez puede ser el detonante de algún incidente o confrontación. Por eso atraen dificultades y propician su fracaso en la mayoría de las cosas que enfrentan en la vida.

Todos hemos conocido alguna vez a alguien a quien nunca quisiéramos volver a ver. Es ese tipo de persona al que rechazamos porque asociamos con el conflicto, la confrontación o la pérdida de la serenidad.

Cuando se pone a funcionar la ley de la reciprocidad positiva, se desencadena una especie de efecto de cooperación universal. De repente, los obstáculos se desvanecen. Lo que parecía ser un gran problema deja de serlo y se van abriendo las puertas que nos permiten avanzar por la vida. Es que tal vez, cuando actuamos de forma positiva y propagamos amor y alegría por doquier, logramos que los ángeles se agrupen a nuestro alrededor para ayudarnos y facilitarnos el camino. Es como si alguien fuera ascendiendo por la ladera de una montaña, pero llevara delante un grupo de colaboradores que le van despejando el camino.

Lo que ocurre es que todos preferimos la amistad al rechazo, el saludo a la indiferencia, el placer al dolor, el poder a la debilidad, la humildad a la prepotencia, el propósito a la inutilidad, la serenidad a la ansiedad o la paz al conflicto.

Cuando se entienden y aplican los principios básicos de la ley de la reciprocidad, se puede desarrollar la técnica más poderosa de motivación positiva en los demás.

Además, al aplicar los principios de la ley de reciprocidad, se alínea un ejército de seres humanos que comienzan a usar sus capacidades, habilidades y recursos a nuestro favor. No hay herramienta más valiosa que la suma colectiva de las intenciones y acciones de una multitud de personas predispuestas a favor nuestro. De repente, no hay puerta que permanezca cerrada, ni dificultad que no haya alguien que nos ayude a vencer. Y hasta se pierde menos tiempo en avanzar por la vida.

Cuenta el escritor y conferencista Wayne Dwyer que una vez iba a dictar una conferencia a otra ciudad y llevaba una enorme y pesada caja de libros que pensaba enviar como equipaje en la barriga del avión. Sabía que tendría que pagar una fuerte suma a la aerolínea por su excesivo peso.

Pero al llegar al aeropuerto, le informaron que el vuelo que debía tomar había sido cancelado por desperfectos mecánicos. De pronto, se escuchó un anuncio por los altoparlantes, donde se avisaba que otra aerolínea tenía algunos asientos disponibles en un avión que despegaría pronto hacia el mismo destino.

Una estampida de viajeros corrió por la terminal tratando de llegar al mostrador de la otra compañía, mientras que el escritor, a duras penas, podía avanzar por el pasillo central debido a la pesada carga que llevaba.

Finalmente cuando llegó hasta la otra aerolínea, se encontró que era el último en la fila. De repente, una empleada evidentemente muy molesta se paró sobre una silla y gritó que sólo se aceptarían pasajeros con equipaje de mano. Todo el que tuviera equipaje adicional tendría que esperar un nuevo vuelo.

Tras el anuncio, la mayoría de los pasajeros abandonaron la fila pero Dwyer permaneció en ella. Cuando la señora que estaba delante de él, una dama visiblemente molesta por la cancelación de su vuelo original, comenzó a ser atendida, descargó sobre la empleada toda su frustración.

La viajera la emprendió contra la industria aeronáutica y acusó de negligentes a todos los que en ella trabajaban. Poco a poco escaló la hostilidad entre la pasajera y la empleada del mostrador, que en venganza, le dijo que su equipaje de mano era demasiado grande y pesado como para que ella pudiera viajar con él, en la cabina del avión. La mujer se resistió vehementemente a no volar. Minutos después, el incidente requirió la presencia de un guardia de seguridad que secamente le exigió a la viajera que se retirara de la fila. A esas alturas, la empleada estaba iracunda y su rostro se había tornado de un color rojo intenso. Wayne Dwyer era el próximo en la fila.

Mientras el altercado ocurría, el escritor, sacó un libro de los que llevaba en su bolsa de mano y se fijó en el nombre que aparecía en la identificación que la mujer llevaba prendida a la solapa de su uniforme. Cuando finalmente le tocó el turno, y antes de que la empleada pudiera hablar, Dwyer le sonrió de oreja a oreja y, llamándola por su nombre, le pidió disculpas por el incidente que acababa de ocurrir y le expresó el agradecimiento de los demás pasajeros por la paciencia y atención que ella y sus otros compañeros estaban teniendo para que ellos pudieran viajar.

El comentario del escritor tuvo un efecto casi milagroso en la empleada. Cuenta el mismo Dwyer que inmediatamente la mujer se transformó y desapareció toda su ira. Su rostro volvió a la normalidad como por arte de magia, momento que aprovechó él para tomar su lapicero y mientras aún dialogaba con ella, autografió el libro a su nombre y se lo regaló. La empleada, asombrada, le dijo que en sus años de servicio era la primera vez que un pasajero le regalaba algo.

Minutos después, Wayne Dwyer se sentaba en el último asiento disponible en aquel avión, mientras su pesada caja de libros iba en el mismo vuelo en la barriga del aparato, como equipaje, y sin tener que pagar un solo centavo por sobrepeso.

El poder de una sonrisa es muy superior al de un arma de fuego. Los seres humanos somos egocéntricos y respondemos muy positivamente cuando se nos toma en cuenta y se nos trata con respeto y amabilidad.

Si usted siembra una semilla de manzana, jamás podrá saber anticipadamente, cuántas frutas terminará recogiendo de ese árbol. Pero pudieran ser cientos o miles, que una multitud de personas terminará saboreando, aún por mucho tiempo.

Como aprendizaje de este capítulo, a partir de este mismo instante, ponga en práctica la ley de reciprocidad. Hágase el firme propósito de ser amable con los demás por lo menos cinco veces al día.

Pregúntele a su pareja, si necesita algo o si hay algo que usted pueda hacer por ella. En la calle, sonría a toda persona que se cruce en su camino. En su trabajo, adopte una actitud de amabilidad y cooperación. En lugares públicos como bancos, estaciones de servicio o supermercados, trate de saludar por su nombre a los empleados cada vez que pueda averiguar, disimuladamente, como se llaman por las identificaciones que llevan en el pecho. Y aunque el servicio haya sido mediocre, agradézcale al camarero que lo atendió en el restaurant de forma particular. Le garantizo que la próxima vez lo atenderá mucho mejor.

Aunque será algo incómodo al principio para quien no esté acostumbrado a hacer esto, poco a poco se irá habituando hasta que terminará haciéndolo automáticamente.

La ley de reciprocidad es nuestra mejor aliada para evitar los fracasos, facilitar los triunfos y atraer hacia nosotros la prosperidad que nos permita vivir una vida de plenitud.

Capítulo 7

EL FRACASO

Ya que hemos mencionado la palabra fracaso, dediquemos un tiempo a conocer un poco más sobre este temido vocablo.

Según el diccionario de la Real Academia Española de la Lengua, la palabra fracaso se define como ""*malogro; resultado adverso de una empresa o negocio; suceso lastimoso, inopinado y funesto; caída con estrépito y rompimiento; ruina de algo o disfunción brusca de un órgano*"".

Sin embargo, para los efectos de este libro, el fracaso no es el resultado final de un evento, sino el juicio que hacemos del mismo. El fracaso es aún mayor si ocurre en un plano público. En ese caso, les damos a los demás la autoridad para que nos juzguen.

Para que se comprenda mejor lo que queremos decir, imagínese que usted se encuentra cantando ópera en la Scala de Milán, ante un auditorio abarrotado. De pronto su voz se quiebra y desafina estrepitosamente en medio del espectáculo. El público comienza a reírse a carcajadas y se escuchan abucheos. Su fracaso ha sido grandioso. Usted siente que el mundo se le viene encima. No sabe dónde esconderse y siente una gran vergüenza. Para usted, ese fracaso ha sido trágico y traumático.

¿Pero qué pasaría si en vez de cantar ópera ante un auditorio lleno de público, lo hiciera usted en la ducha de su casa cuando nadie más este escuchando? Si desafinara, nadie se enteraría y por lo tanto usted no pasaría vergüenza alguna. En ese caso no pensará que ha fracasado. Simplemente, volverá a comenzar la canción con la expectativa de que esa vez le salga mejor.

La diferencia entre ambas situaciones, es que en la primera le hemos dado autoridad a la multitud para que nos juzgue. Al mismo tiempo, si usted hubiera sido un humorista que desafinó la ópera con toda intención, entonces la risa del público hubiera sido una bendición. En el segundo escenario, a usted no le importó desafinar porque en la ducha de su casa nadie mas lo estaba escuchando y no se produjo juicio ajeno alguno.

Y ahora que sabemos lo que es el fracaso, reflexionemos un poco en lo que NO es:

1) *El fracaso NO es una condena de nuestro carácter*. Muchas personas, al fracasar en algún proyecto, se convierten en sus propios jueces y se auto condenan por no haber tenido éxito en el empeño. Terminan destruyendo su auto estima, en un círculo vicioso que les hará fracasar de nuevo porque simplemente ya han llegado a la conclusión que, hagan cuanto hagan, terminarán fracasando.

2) *El fracaso NO es una condición permanente*. El fracaso forma parte del proceso continuo del aprendizaje. Los grandes avances de la humanidad fueron desarrollados a partir del fracaso. Los primeros seres humanos que descubrieron el fuego producido por un rayo, fracasaron cuando se les apagó la llama por una ráfaga de viento. Pero la próxima vez tuvieron más cuidado y la protegieron del aire. Thomas Edison, Alexander Graham Bell y los demás inventores y científicos que nos han legado un mundo de avances tecnológicos, fracasaron una y otra vez hasta que lograron realizar y perfeccionar sus invenciones.

3) *El fracaso NO es un defecto fatal*. Hay quienes fracasan una vez y consideran que nacieron con una imperfección que les impedirá triunfar en cualquier cosa. No hay nada más dañino que albergar ese pensamiento negativo que nos cohibirá de intentar cualquier proyecto futuro en la vida. Esas personas, por lo general terminan viviendo existencias mediocres y vacías, porque no se atreven a dar ningún paso importante por la absoluta certeza que van a fracasar. Ellos se han convencido que nacieron para seguir

a los demás y son incapaces de intentar nada por cuenta propia.

Todo fracaso debe ser visto como una adversidad temporal que el Universo aprovecha para darnos una enseñanza.

A veces el fracaso no es una derrota de nuestro esfuerzo, creatividad o capacidad de acción. Es simplemente, una falta de información de factores elementales que son esenciales para alcanzar el éxito.

Si usted se empeña en pescar un tiburón, pero lanza el anzuelo en una laguna de agua dulce, fracasará, porque allí no hay tiburones. Si por el contrario, se embarca hacia alta mar y persevera, probablemente encontrará un escualo tarde o temprano. Si pretende cosechar manzanas en un clima tropical, también fracasará porque ese clima no es propicio para ese tipo de cultivos. Pero si decide sembrar mangos en un clima cálido y lluvioso, abona la tierra y protege su árbol de plagas e insectos, terminará deleitándose con la sabrosa fruta en algún momento. Al planificar e informarnos adecuadamente podemos evitar el fracaso.

Entender el medio ambiente y su relación al proyecto que se emprende, es fundamental para alcanzar el éxito en toda empresa, aunque ésta sea la búsqueda de la salida del gran edificio de laberintos del que hablamos en el primer capítulo. Por eso es muy importante dominar la mayor cantidad de información posible sobre cada proyecto que deseamos desarrollar.

La forma que reaccionamos ante el fracaso es lo que determina, en gran medida, nuestra capacidad de triunfar o fracasar en nuestro nuevo intento.

Debemos ser jueces más benévolos y tolerantes de nuestros propios fracasos y hasta aprender a reírnos de nuestras adversidades para que no se conviertan en pensamientos negativos que, una vez sepultados como recuerdos traumáticos en nuestra memoria, se conviertan en factores que conspiren contra nuestro éxito y felicidad.

Si no se enfoca y asimila de manera sabia y positiva, como hicieron algunos de los grandes inventores que hemos mencionado, el fracaso se puede convertir en una destrucción repentina de nuestra auto estima, que degenerará en una serie de otros sentimientos negativos. La acumulación de esos sentimientos negativos será una absoluta garantía del próximo fracaso.

Pudiéramos definir la anatomía del fracaso, de acuerdo a las etapas que se van presentando, a medida que se descubre la realidad que nos indica que el éxito no será alcanzado.

Primeramente, nace una sensación de *"asombro"* o *'perplejidad en nosotros"*. No podemos creer que eso nos esté ocurriendo y nos quedamos atónitos y paralizados ante las primeras señales que nos indican que estamos fracasando o que ya hemos fracasado.

Quizás el mejor ejemplo de un fracaso es el de la separación de un matrimonio. Aunque hayan existido toda una serie de señales aparentes de disfuncionalidad en la relación, en la mayoría de los casos, los cónyuges son los últimos en verlas. Los amigos y familiares pueden apreciar, sin gran esfuerzo, que la relación no funciona y probablemente terminará en una ruptura, pero la propia pareja opera en una perspectiva que no le permite ver que se encaminan hacia el fracaso.

Por eso es bueno contar con la colaboración de terceros que puedan ayudarnos a corregir el rumbo y nos permitan evitar una calamidad a lo largo del camino. Desde el terapeuta que interviene para ayudar a los cónyuges a superar una situación matrimonial, evitándoles el divorcio, hasta el policía de tránsito que nos impone una multa que nos recordará, en lo adelante, ponernos el cinturón de seguridad, la participación de profesionales o colaboradores, puede ser de gran ayuda para evitar el fracaso. Dice el refrán que cuatro ojos ven más que dos.

Pero fíjense que hemos dicho "profesionales o colaboradores". No se debe confundir la participación autorizada de un profesional o colaborador que invitamos a nuestro proyecto (y en el caso del policía, autorizado por el estado) para que nos ayude, con la intromisión de personas negativas, de nuestro círculo íntimo, que terminarán contaminando de una energía pesimista nuestro proyecto. Siempre abundarán los pesimistas.

Esas personas, aunque estén motivadas por las mejores intenciones, actúan como precursores del infortunio y como rara vez han conocido el éxito, terminan debilitando nuestra confianza y son los que siembran las primeras semillas del fracaso.

Pero regresando a las etapas del fracaso, después del asombro inicial, viene un sentimiento de *miedo* que no es más que un mecanismo de supervivencia que nos alerta del peligro de no poder obtener el éxito.

Posteriormente sentimos *ira* contra algo o contra alguien. Pero el mayor peligro, es cuando la ira es contra nosotros mismos porque puede terminar provocando un estado depresivo muy peligroso y dañino. La ira puede estar justificada si la culpa del fracaso es una genuina negligencia ajena, pero no causará daño si es controlada y pasajera. Un ejemplo sería, si después de usted pasar varias horas decorando un pastel de bodas muy elaborado, alguien entra de espaldas a la cocina cargando una caja de platos plásticos y al tropezar con una silla, cae sobre el pastel y lo destroza. La ira inicial terminará disipándose ante la realización de que se trató de un simple accidente. Si por el contrario, el que cae sobre el pastel lo hace porque estaba pasado de tragos y perdió el equilibrio de manera negligente, su cólera contra esa persona será más profunda y duradera, con toda justificación.

Si un matrimonio fracasa porque los cónyuges se casaron cuando eran muy jóvenes y con el tiempo se fue apagando el amor que sentían, es muy probable que, más allá del divorcio, puedan mantener una relación amistosa. Si por el contrario, la separación estuvo determinada por infidelidad o violencia, la relación quedará dañada irreparablemente de por vida.

Sin embargo, cuando nos culpamos a nosotros mismos del fracaso y la ira se torna en contra nuestra, desencadenamos una serie de emociones negativas que pueden llegar a conducirnos a la desesperación y hasta la depresión.

La mayoría de las personas fracasan porque han acumulado una serie de pensamientos negativos a lo largo de sus vidas, que los condicionan a una predisposición crónica hacia el fracaso.

Dentro de nuestra mente habitan pensamientos cuyas voces nos hablan a diario:

*) *Si te enamoras, te arriesgas a que te partan el corazón.*

    Mejor no te enamores.

*) *Mira como han fracasado los demás en proyectos similares.*

    Mejor no lo intentes

*) *Tanto sacrificio no vale la pena. Mejor haz otra cosa más fácil.*

*) *Tú no sabes nada de eso, zapatero a tu zapato.*

    Mejor dedícate a lo tuyo.

*) *La calle esta durísima y este no es el momento.*

    Mejor no hagas nada.

Esos pensamientos se han ido acumulando en nuestra

mente con el paso del tiempo, en gran medida, inculcados por los adultos que han participado de nuestra formación. Desde que éramos niños o adolescentes vamos escuchando y asimilando una serie de frases que, en muchos casos, llegan a determinar que actitud tenemos hacia la vida.

Esos pensamientos negativos inculcados desde épocas tempranas, junto a la manera en que vamos reaccionando ante nuestros primeros fracasos, forman un proceso de retroalimentación que nos afecta la toma de decisiones y el enfoque que damos a cada uno de nuestros proyectos.

Si cuando al niño se le rompe su primera pompa de jabón, sus padres le explican que es algo normal que ocurre, volverá a intentarlo muchas veces más, al comprender que la ruptura de la burbuja es parte del proceso. Pero si por el contrario, cuando el niño no logra culminar con éxito un trabajo manual o cualquier otra asignación de la maestra, lo criticamos y le decimos que es porque él no sirve para nada, terminaremos haciendo de él un perenne fracasado. Y créame que aunque le parezca una exageración, ese comportamiento abunda mucho más de lo que usted se imagina.

Pero volvamos a la interconexión que existe entre nuestros pensamientos negativos, creencias falsas o prejuicios y los fracasos de nuestra vida.

Nuestro rico idioma castellano está plagado de refranes y dichos callejeros que refuerzan los pensamientos negativos que anidan en nuestra memoria.

"*En boca cerrada no entran moscas*". Si bien esta frase pudiera explicar la sabiduría de la prudencia a la hora de hablar, también pudiera inhibir a alguien de expresar una opinión importante o de participar de un debate por miedo a equivocarse y hacer el ridículo.

"*Más vale pájaro en mano, que ciento volando*". Este refrán mata al contacto cualquier iniciativa en el mundo de los negocios que suponga un riesgo. La persona que practica esa filosofía prefiere conformarse con lo que el mundo le ha dado y no se atreve a buscar nada más que lo que ya tiene, por miedo. Si todos pensáramos de esa forma, no existiría en el mundo ni un solo negocio y todos viviríamos en la más abyecta pobreza.

"Al que nació para martillo, del cielo le caen los clavos". Esta frase nos hace pensar que nacemos con una determinación divina para ser pobres, incultos o perennes fracasados. Este dicho callejero condena a la mediocridad a muchísimas personas y, peor aún, presupone que esos han nacido para ser mediocres. Ese tipo de mentalidad que abunda, desconoce la superación, la creatividad, la perseverancia o el esfuerzo como cualidades que facilitan el éxito.

"Mono, aunque se vista de seda, mono se queda". Esta frase puede ayudar a desarrollar un complejo de inferioridad, sobre todo, en personas nacidas dentro de familias pobres o que emigran a otros países más desarrollados. El refrán reafirma la tesis que no importa cuanto nos esforcemos por romper las barreras de nuestros propios fracasos o los de nuestros antepasados, nuestra propia naturaleza, origen o procedencia es la causa de que nunca alcancemos el éxito.

El fracaso acompaña y persigue también a una serie de personas que, aunque están dispuestas a dar el primer paso hacia la realización de un proyecto, están tan contaminados y condicionados por sus propios pensamientos negativos, que no logran salir del ámbito donde terminarán fracasando.

Existe la personalidad del *"eterno soñador"*. Este tipo de persona sueña a diario con nuevos proyectos y empresas y se inspira en el éxito alcanzado por los demás, pero se pasa la vida escribiendo el *"libreto"* de grandes obras que nunca realiza. No sabe cómo pasar de los sueños a la acción. Al final de su vida terminará con una rica colección de proyectos que nunca realizó. Aquí el fracaso se debe, no a la interrupción abrupta del proyecto, sino a que él mismo nunca pasó de ser sólo una ilusión efímera.

También existe el "*perfecto erudito*". Estas, aunque no abundan, son personas cultas y académicamente muy preparadas que pasan su vida estudiando y aprendiendo por el mero hecho de hacerlo, pero que nunca llegan a poner en práctica el conocimiento acumulado. Por lo general, no lo hacen porque consideran que todo proyecto, empresa o negocio es demasiado vulgar para personas tan cultas como ellos. Estas personas no comprenden que la superación intelectual debe ser una herramienta que conduzca hacia una mayor prosperidad y una mejor calidad de vida. Este tipo de individuos termina fracasando porque considera que ellos están muy por encima de los demás y se ahogan en un falso espíritu de superioridad.

El "*perenne imperfecto*". Esta pobre criatura está condenada al fracaso perpetuo porque ha sido condicionada a creerse que nació con grandes defectos de fábrica que le impiden triunfar. Si pudiéramos dar marcha atrás a su vida, descubriríamos algún padre, abuelo o maestro que a diario le repetía "*no sirves para nada, eres un verdadero desastre*". Tantas veces le repitieron lo mismo, hasta que se lo creyó y pasó a ser parte de su memoria negativa en forma de una creencia. Este tipo de persona, si logra completar algo sin fracasar, será algo sin trascendencia o de poca importancia porque el mismo ha puesto límites a sus horizontes.

El "*sabio pesimista*". Por lo general son personas de cultura y capacidad intelectual amplias pero muy poco elevados espiritualmente. Al no tener una buena relación con Dios, desconocen que Dios es amor y que siempre busca nuestra felicidad. Estos individuos desconfían de todo y de todos y antes de aventurarse a cualquier iniciativa o proyecto, son capaces de visualizar una larga lista de factores por los cuales su empresa pudiera fracasar. Quizás cuando niños, sus padres les prometieron muchas cosas que nunca cumplieron, desarrollándoles una desconfianza continua por todo. Son capaces de tejer y materializar el fracaso con gran facilidad porque imaginan obstáculos por doquier, hasta que atraen sobre sí todo tipo de dificultades que terminan dándoles la razón.

El "*meticuloso obsesivo*". Este tipo de personalidad se asfixia por lograr una perfección que le impide ultimar cualquier proyecto. Pasan horas tratando de perfeccionar los más ínfimos detalles y pierden la perspectiva del objetivo final. El fracaso no está condicionado por pensamientos negativos, sino por una fatal obsesión de que si el proyecto no es absolutamente perfecto, no sirve. Y lo peor es que ellos son los propios jueces de lo que significa perfección. Aunque hayan avanzado hasta lo que pudiera ser satisfactorio o perfecto para los demás, para ellos no lo es todavía y se afanan desperdiciando una serie de energías que les impiden alcanzar o disfrutar el triunfo. Y si llegan a la meta deseada, no se dan cuenta que han llegado.

El "*pícaro recostado*". Este personaje pretende que toda empresa, proyecto o negocio propio sea hecho por los demás. Son proclives al fraude o a la estafa, y algunos pueden llegar a ser vagos empedernidos. Cualquier sociedad con este tipo de personas pudiera terminar mal. Y aunque tienen, en la mayoría de los casos, la iniciativa y los recursos personales, fracasan porque no hacen las cosas dentro de un marco de honestidad o legalidad, o se detienen por el camino a la espera de que venga otro y termine lo que ellos han empezado. En ellos predomina el egoísmo y por la ley de reciprocidad, terminan atrayendo el fracaso porque nunca actúan con una buena intención.

70

El "*dramaturgo constante*". Esta persona nunca será feliz, haga lo que haga, porque todo lo que realiza lo hace pensando en que dirán los demás. Vive constantemente pendiente de la opinión de la gente. Continuamente le otorga autoridad a los demás para que lo juzguen. Inicia un proyecto, no para obtener un beneficio personal, sino para lograr un reconocimiento o un status público. Pasa el tiempo tratando de impresionar a los demás sobre cuán difícil se le hace todo para que sientan lástima de él. Estas personalidades sienten pánico de fracasar en público por el juicio que puedan hacer de ellos los demás y por lo tanto, la mayoría de las veces se cohíben de iniciar algo por miedo a hacer el ridículo.

El "*pragmático triunfador*". Esto es lo que todos deberíamos tratar de ser. Este tipo de persona ha logrado un equilibrio adecuado en su vida y se desenvuelve en una actitud positiva, aún después del fracaso porque ha logrado dominar y reprimir sus memorias negativas. No se deja dominar por pensamientos negativos o por influencias pesimistas que puedan desenfocarlo de su verdadero propósito. Sabe lo que quiere y cómo trabajar para lograrlo.

Esta personalidad incorpora sabiamente los aspectos positivos de las anteriores. Y es precisamente eso lo que lo condiciona para el triunfo. Del *soñador*, utiliza la creatividad de poder imaginar primero un proyecto pero luego da los pasos adecuados para implementarlo. Del *erudito,* aplica el conocimiento que le permitirá entender la complejidad del proyecto y los elementos que va a necesitar para llevarlo a feliz término. Si es preciso aumentar su conocimiento o buscar la asesoría profesional que le permita evitar el fracaso, no escatima recursos en hacerlo. Del *imperfecto,* reconoce con humildad sus limitaciones y trata de buscar la forma de superarlas. Como el *sabio pesimista*, es capaz de enumerar las posibles razones del fracaso, pero no se queda ahí, sino que buscará una solución a cada una de ellas; lo que hará superar la mayor cantidad posible de obstáculos hasta alcanzar el triunfo. Puede ser meticuloso sin llegar a ser obsesivo, y cuida el detalle al máximo, pero sólo en la medida en que eso le permita ofrecer un mejor producto o servicio. Como el *pícaro recostado*, esta persona busca la ayuda de los demás y funciona sinérgicamente en equipo, pero siempre seguirá siendo la cabeza del proyecto y trabajará incansablemente hasta lograrlo. Y al final, disfrutará su obra junto a sus seres queridos y a los que lo ayudaron a realizarla.

Conocí a Javier Inda cuando yo dirigía una estación de radio musical en Miami, alrededor del año 1986. Él era el dueño de una pastelería y con frecuencia llamaba a la radio para pedir que le tocaran una canción. Pero en cada llamada siempre nos extendía una invitación para que fuéramos a comer unos dulces a su negocio e insistía en que lo visitáramos. Su trato por teléfono era tan cordial que cuando le tocábamos la música que había pedido, casi siempre anunciábamos que era para Javier y los amigos de la pastelería Casablanca, y hasta dábamos la dirección de su negocio.

Sin darse cuenta, Javier obtenía por su amabilidad y positivismo, que su pastelería fuera mencionada en una importante radio varias veces a la semana.

Un día lo visité y me quedé tan a gusto con aquel joven, que decidí incorporarlo a mi círculo de amistades. Javier y su esposa estuvieron presentes en los primeros cumpleaños de mis hijos y compartimos mucho socialmente durante varios años.

En una ocasión, Javier quiso instalar unas molduras decorativas de yeso y cemento alrededor de las ventanas de su casa y pensó, que si él era capaz de moldear una masa de harina hasta convertirla en un hermoso pastel, por qué no hacer lo mismo con una masa de yeso y cemento. Se agenció la ayuda de un par de amigos y finalmente, en el patio de su casa, pasando mil trabajos, terminó por fabricar las molduras que más tarde instaló en sus ventanas.

Pero como todos los que visitaban su casa terminaban admirando las molduras y le preguntaban dónde las había comprado, Javier identificó una necesidad y un potencial de riqueza en la fabricación de aquel producto. Un día decidió vender su pastelería que lo obligaba a levantarse horas antes que saliera el sol y decidió fabricar molduras para ganarse la vida.

Cuando me lo dijo, pensé que era una locura, porque en aquel entonces yo no había aprendido a mirar la vida como ahora. Además, la pastelería marchaba muy bien.

Hoy, Javier posee un próspero taller donde fábrica más de cien artículos diferentes y sus proyectos han sido fotografiados y publicados por las principales revistas de arquitectura y decoración. Cientos de casas y mansiones del Sur de la Florida y del Caribe exhiben hermosas decoraciones ornamentales fabricadas en el taller de mi amigo. Y cuando alguien le pide algo que él nunca ha hecho, no responde negativamente, sino que termina diseñando un nuevo molde, un nuevo patrón, que da vida a una nueva pieza de artesanía.

Esta historia es el vivo ejemplo de un pragmático triunfador que ha logrado convertir un pensamiento en una idea, una idea en una ilusión, una ilusión en un sueño, un sueño en una meta, una meta en una realidad y una realidad en una pasión que lo ha llevado hacia una vida de realización y de prosperidad junto a su familia. Alguien que, al no temer el riesgo de abandonar su zona de comodidad, puso a girar la rueda de la abundancia en su vida.

Pero no seríamos honestos si omitiéramos el hecho que tanto Javier como su esposa Eradis son personas de una profunda espiritualidad que ha sido favorecida por Dios. Al combinar toda una serie de cualidades y actitudes positivas, con las leyes elementales que regulan el universo, han podido desencadenar los factores del triunfo y han atraído hacia ellos a personas de igual calidad humana que los han ayudado a triunfar.

El éxito pertenece a los que, después de un fracaso, averiguaron lo que no funcionó y volvieron a intentarlo hasta que descubrieron lo que verdaderamente funciona. Y sólo será demasiado tarde, si no se intenta de nuevo en ese mismo momento. Algunos de los artistas, inventores y descubridores más grandes de la historia, se pasaron casi toda su vida fracasando hasta que se consagraron.

No permita que los fracasos en sus proyectos, empresas o negocios se conviertan en fracasos crónicos de vida. Si mantiene una actitud positiva, sacará de cada fracaso una rica lección que lo ayudará a triunfar la próxima vez. Las adversidades sólo son pasos hacia atrás en el largo camino que todos debemos recorrer y forman parte de nuestro constante aprendizaje.

Pero ahora, que ya usted ha podido comprender que sus fracasos pudieran estar condicionados por una predisposición subconsciente de sus pensamientos o creencias negativas, debe aprender a reprogramar la mente para que comience a funcionar dentro de un marco que sea conducente al triunfo deseado.

En los próximos capítulos, trataremos de darle algunos consejos sobre técnicas de reprogramación mental que le permitirán acondicionar su mente hacia una nueva filosofía de vida.

También hallará las herramientas necesarias para efectuar esa reprogramación, así como una serie de técnicas y recursos que le permitan ver cada fracaso en una luz diferente y actuar para que cada vez estos sean menos frecuentes.

Capítulo 8

LA MENTE: VISUALIZACIONES Y AFIRMACIONES

Dios no crea imperfecciones. Nacemos con un cuerpo y una mente capaces de alcanzar y conquistar los objetivos más difíciles y las fronteras más recónditas. Somos nosotros los que los contaminamos a lo largo de la vida y hacemos que no funcionen a su mayor capacidad.

Cada acción negativa voluntaria o involuntaria que emprendemos tendrá siempre consecuencias negativas sobre nuestro cuerpo y nuestra mente, algunas de las cuales podrán manifestarse muchos años después.

Sin embargo, hoy sabemos que podemos reprogramar nuestra mente y hasta rejuvenecer nuestro cuerpo. La sicología moderna usa técnicas como la reprogramación neurolingüística y la terapia regresiva para sanar y equilibrar nuestra mente mediante la modificación de eventos del pasado o emociones, pensamientos e ideas que se establecieron en nuestra psiquis tiempo atrás, pero que nos afectan en el presente.

Inclusive, una práctica poco conocida de la religión católica y de ciertas denominaciones cristianas es la sanación de antepasados. La Biblia nos habla de desequilibrios y afectaciones que ocurren en el ámbito espiritual y que pasan de generación en generación como una especie de condición hereditaria. La era moderna se ha concentrado tanto en el aspecto fisiológico y mental del ser humano, que ha llegado a ignorar, casi por completo, el aspecto espiritual, que es parte integral del individuo, tan importante como los otros dos. Para quien desee averiguar más sobre ese tema recomendamos los libros del sacerdote canadiense Albert Fredette, especialista en sanación de antepasados.

Si un hombre que consume grandes cantidades de drogas o de alcohol, de forma rutinaria, se une a una mujer que hace lo mismo, con el fin de tener un hijo, la criatura probablemente se verá afectada por los efectos de los vicios de los padres.

Toda acción sobre nuestra mente o nuestro cuerpo, positiva o negativa, tendrá una repercusión por la ley de causa y efecto.

Si comemos apropiadamente, hacemos ejercicio, evitamos el tabaco y las drogas, bebemos alcohol solo moderadamente con fines terapéuticos, usamos la menor cantidad posible de medicamentos y vivimos una vida saludable, alargaremos nuestra vida hasta el máximo de nuestra capacidad genética innata. Si por el contrario, maltratamos nuestro cuerpo de diversas maneras, acortaremos nuestra vida, no sin antes experimentar una serie de enfermedades y dolencias.

Con la mente pasa igual. Si alimentamos nuestra mente con pensamientos negativos como el miedo o la envidia, terminaremos creando un estado anímico incompatible con nuestra estabilidad emocional y felicidad.

Cuando desatamos nuestras bajas pasiones como la ira, la lujuria, la avaricia o hacemos daño a nuestros semejantes; desequilibramos nuestro espíritu, rompemos nuestra armonía con el espíritu divino y acumulamos una carga negativa que nos hace daño y que podemos traspasar a nuestros hijos.

Todas las grandes religiones del mundo reconocen la existencia de la energía omnipresente del Creador. El cristianismo la identifica como el Espíritu Santo o el Espíritu de Dios, una de las tres personas de la Santísima Trinidad.

El Espíritu de Dios, que es la sabia de la vida y origen de toda creación, está por doquier, a nuestro alcance y disposición. Al acceder a la infinita sabiduría del Espíritu, podemos transformar nuestra vida de una forma casi milagrosa y manifestar sus frutos.

La alegría, bondad, paciencia, paz, afabilidad, mansedumbre, fidelidad, respeto del prójimo, autocontrol y todo rechazo del mal, son frutos del Espíritu de Dios. Si los ponemos en práctica en nuestra vida y obramos de acuerdo a esas virtudes, obtendremos una abundantísima cosecha en cada uno de nuestros proyectos.

Dios nos da la libertad de proceder y reaccionar ante las diversas situaciones que enfrentamos a diario. También nos ha dotado de una herramienta inigualable, de la cual la ciencia todavía conoce muy poco: nuestra mente. Con nuestra mente podemos amar u odiar con la misma fuerza.

Los científicos estiman que solo usamos el 10% de nuestro cerebro. Se sabe que cuando una persona sufre un accidente neurocerebral y parte de su cerebro queda muerto, otras regiones se activan para emprender las funciones que antes realizaba el área afectada.

Hay personas, que con la mente, pueden recordar textos y libros completos con una sóla lectura. Un matemático colombiano contemporáneo es capaz de calcular exactamente, en fracciones de segundo, el día de la semana en que caerá cualquier fecha futura dentro de dos o tres siglos.

Hay quienes poseen la capacidad de la telepatía o la telequinesis, lo que ha sido demostrado en estudios realizados en las más prestigiosas universidades.

Existen hombres y mujeres dotados con la facilidad de proyectarse hacia el futuro o a la distancia y ver acontecimientos y lugares con total certeza.

Durante años, la Agencia Central de Inteligencia de Estados Unidos ha empleado a un número de mentalistas que son capaces de *"ver a la distancia"* y espiar instalaciones militares en regiones remotas de países enemigos que nunca han visitado. Esto se conoce en círculos de inteligencia como *"visión remota"*.

Existen personas que colaboran habitualmente con la policía para resolver delitos, concentrándose sobre las pertenencias de las víctimas o los agresores. Estos individuos pueden llegar a describir la escena de un crimen y aportar detalles de cómo ocurrieron los hechos, sin haber estado jamás en ese lugar.

Imaginamos que de la misma forma que podemos entrenar y fortalecer nuestro cuerpo físico para moldear los músculos y poder disfrutar de una fortaleza mayor, también podemos entrenar nuestra mente y desarrollar nuevas habilidades mentales con el fin de lograr nuestras metas.

La visualización es una herramienta poderosa que podemos emplear cada día para mejorar nuestra vida. El principio es que todo cuanto podamos imaginar, podremos luego crear o manifestar. Aquellas cosas que de una manera positiva deseamos manifestar en nuestra vida, podemos atraerlas hasta hacerlas una realidad, si somos capaces de imaginarlas primero.

Cada vez son más numerosas las investigaciones científicas que demuestran la estrecha relación que existe entre nuestra mente y nuestro cuerpo. Las conclusiones demuestran que podemos manifestar cambios en nuestro cuerpo físico visualizando ese cambio primero en la mente. Por lógica, cabe pensar que podemos mejorar muchos aspectos de nuestra vida aprovechando las capacidades todavía desconocidas de nuestra mente.

Podríamos definir la visualización como la formación de la imagen mental de un concepto abstracto a través del pensamiento. Las visualizaciones mentales son las directrices que ayudan a concentrar la mente no sólo en los problemas sino en las soluciones.

La visualización es una práctica, reconocida por la sicología moderna, que apoyándose en técnicas de relajación profunda, conduce hacia el foco del problema, aportando soluciones imaginativas y eficaces para problemas concretos. Este mecanismo ha sido utilizado por atletas de fama mundial como Mary Lou Retton, la campeona Olímpica de gimnasia, que después de ganar la medalla de oro, explicó que había realizado miles de visualizaciones de la misma imagen donde podía ver en la pantalla olímpica la puntuación de los jueces que le otorgaban el triunfo sobre los demás competidores. Mary Lou reveló que llegó a visualizar con años de anticipación la exacta puntuación que obtuvo para la medalla de oro.

No es que Mary Lou Retton haya anticipado el futuro, sino más bien que programó su mente de tal forma al imaginar el triunfo, que su cuerpo se preparó inconscientemente para realizar la proeza que le permitiría ganar la medalla de oro en aquellas olimpiadas. Su cuerpo se ajustó hasta lograr alcanzar los puntos necesarios para el triunfo.

La visualización también está siendo utilizada en la curación de un número de enfermedades. El Dr. Carl Simonton, oncólogo e investigador, la ha utilizado con sus pacientes para reducir el tamaño de tumores cancerosos con resultados muy alentadores. La visualización crea una imagen donde las células buenas del sistema inmunológico destruyen y eliminan las células cancerosas y reducen el tumor.

Se le enseña al paciente a dirigir las energías mentales a un propósito bien definido para que el sistema inmunológico produzca la química necesaria para combatir el cáncer y aumente los anticuerpos. Los científicos estiman que la visualización es una valiosa herramienta para la auto curación.

En 1975, el Dr. Robert Ader, de la Universidad de Rochester, acuñó la palabra *"psiconeuroinmunología"* para describir la técnica en la cual la mente influye sobre el bienestar del cuerpo. Mediante esta técnica se logra enlazar el cerebro con el sistema inmunológico y obtener resultados sorprendentes.

Para una adecuada visualización es preciso lograr la mayor relajación posible. La mente debe estar libre de todo pensamiento. Se debe respirar lenta y profundamente y luego formamos en nuestra mente una imagen que es el resultado final de algo que deseamos lograr.

Supongamos que usted tiene que presentarse a un importantísimo examen para obtener una licencia. Si fuéramos a utilizar la técnica de la visualización, entonces usted debe cerrar los ojos e imaginar el aula donde estará tomando el examen junto a los demás estudiantes. Vea en su mente el examen sobre su escritorio, sienta el papel entre sus dedos. Imagine las preguntas y lea el texto donde aparece escrita cada una de ellas. Después imagine que usted responde correctamente cada pregunta hasta completar el examen. Al final cambie la imagen y visualice que ha llegado el momento de recibir la calificación del examen. Imagínese sosteniendo entre sus manos el resultado exitoso anunciado por el profesor. Usted ha obtenido la más alta calificación y festeja con sus amigos.

Debe repetir la misma secuencia de visualización varias veces antes de tomar el examen de verdad. Claro está que si no estudia la materia que va a examinar no logrará absolutamente nada porque no estamos hablando de un acto de magia. Sin embargo, si usted estudia la materia adecuadamente, mediante la técnica de visualización su mente activará una serie de mecanismos neuronales que harán que cuando llegue el momento usted recuerde perfectamente la respuesta de cada pregunta.

Podemos proyectar la mente y dirigir nuestros pensamientos e ideas hacia un objetivo determinado para poder convertirlo en realidad en un futuro más o menos próximo. La visualización es la forma de construir en la práctica ese proyecto mental. Nuestras ideas y pensamientos pueden ser difusos y desordenados pero la técnica de la visualización los enfoca y organiza. A través de una composición imaginativa asociada a un fuerte deseo, nuestra mente desencadena los mecanismos que permiten la realización o manifestación del resultado deseado. Aquí no hay nada esotérico. Al visualizar lo que deseamos que ocurra, nuestra mente comienza a trabajar de una manera coherente para propiciar lo que le hemos mostrado mediante una fotografía mental

La visualización es un proceso de concentración a través de la imagen que utiliza experiencias sensoriales previas para concretar un resultado o realizar y manifestar un sueño. Antes de cualquier acto, creamos una imagen anticipada de lo que vamos a realizar, utilizando las informaciones de las experiencias vividas en el pasado. Mediante la visualización podemos desatar la capacidad creadora de nuestra mente.

La visualización nos permite alcanzar una vida de plenitud y obtener lo que nos proponemos. Al visualizar una imagen de lo que deseamos crear para nosotros, ordenamos a nuestra mente buscar los métodos necesarios para transformar esa imagen en una realidad.

Otra técnica de gran ayuda para la reprogramación mental y la realización de nuestras metas es la afirmación. Es la acción por la cual expresamos lingüísticamente un enunciado al que consideramos y declaramos válido y verdadero.

A través de nuestra vida, sobre todo en los años de nuestra formación, es posible que hayamos recibido críticas o frases negativas de personas a nuestro alrededor que nuestra mente todavía almacena. Frases como "*no sirves para nada*", "*eres un verdadero fracaso*", "*eres muy torpe e incapaz*" o "*eres un desastre*" causan un daño extraordinario porque destruyen nuestra autoestima y hasta pueden llegar a condicionar nuestra mente para establecer esas frases como premisas válidas que determinarán lo que somos o no capaces de hacer en el futuro.

El neurofisiólogo boliviano Dr. Ricardo Castañón ha hecho investigaciones muy importantes en este sentido y ha podido demostrar la relación que existe entre lo que decimos a los niños y adolescentes y como afectamos la mente de ellos. A veces podemos causar un daño tremendo solo con el poder de nuestra palabra.

En su libro "*Cuando La Palabra Hiere*", publicado en el 2004, el doctor Castañón hace una magistral exposición de los resultados que arrojan décadas de estudio en la neurosicofisiología cognitiva, usando tomografías del cerebro. Sus investigaciones demuestran mediante la ciencia que lo que decimos a las demás personas tiene un impacto biológico en el cerebro.

De igual forma, podemos reprogramar nuestra mente usando el poder extraordinario de la palabra.

A través de los años, miles de pensamientos negativos han invadido nuestra mente y viven allí sin pagar renta. Nos hemos acostumbrado tanto a pensar negativamente, que el hábito de pensar así genera una predisposición que termina auto saboteando nuestros proyectos.

Cada palabra que pronunciamos produce un impacto en nuestra mente y lo que decimos, expresamos o afirmamos crea una realidad para nosotros mismos y también para los demás. Cada palabra o frase positiva posibilita la propiciación de realidades positivas.

La idea detrás de las afirmaciones es que a través de la repetición de declaraciones positivas podemos mejorar nuestra autoestima, lograr mayores progresos, y encaminarnos hacia el éxito.

Cuando expresamos una afirmación verbal, establecemos y fortalecemos los pensamientos positivos en nuestra mente como imágenes y nos predisponemos a generar cambios positivos en nuestra vida. Si repetimos varias veces al día frases como "*yo soy un triunfador*", "*soy capaz de lograr todo lo que me propongo*", "*soy una persona inteligente, trabajadora y exitosa*" podremos reprogramar nuestra mente, borrar y cancelar las creencias negativas del pasado y establecer nuevas pautas de pensamiento que nos encaminen hacia el éxito.

Las afirmaciones verbales positivas, repetidas frecuentemente varias veces al día, nos permiten revertir los patrones negativos de nuestra mente y reajustar el subconsciente, para que pueda propiciar resultados exitosos.

Capítulo 9

LAS 10 CLAVES DEL EXITO

En un capítulo anterior examinamos el fracaso, sus orígenes y consecuencias. En este capítulo trataremos de explicar los factores que conducen al éxito y como, a través de nuestra mente, podemos propiciar y acelerar ese momento.

El éxito no es en sí un destino, sino todo un viaje por la vida que nunca termina. Si acabara, dejaríamos de experimentarlo en ese mismo instante. Y tal como nos prepararíamos si fuéramos a emprender un largo viaje sin regreso, también debemos equiparnos para el trayecto, comenzando con una predisposición nueva, un replanteamiento diferente y un equipaje lleno de las cosas imprescindibles para no carecer de nada. En los próximos dos capítulos, usted aprenderá los fundamentos del éxito.

El éxito no es casual aunque en momentos pudiera parecerlo. El buscador de oro que encuentra de repente varias pepitas mientras camina a la orilla del rio pudiera atribuir el hallazgo a la suerte o a la casualidad, pero si se hubiera quedado en casa eso no hubiera ocurrido.

El éxito, es como una fruta madura en la rama de un árbol que espera a que alguien la alcance y la coja. Sin embargo, si no hacemos un mínimo de esfuerzo, nunca la alcanzaremos. Hay factores que podemos utilizar para garantizar y acelerar el éxito. A continuación presentaremos algunos denominadores comunes que caracterizan a las personas exitosas.

1- Busque su alma gemela.
Hemos repetido en varias ocasiones que la realidad de nuestra vida está determinada por nuestros pensamientos, ideas, creencias y actitudes. En otras palabras, que somos los artífices de nuestro propio destino. Pero también, en gran medida, nuestra vida se ve influenciada por la persona que escogemos como pareja.

Una simple mirada a los grandes triunfadores de nuestro tiempo nos revelará que junto a cada uno de ellos, ha habido una persona especial, estimulante, transformadora y dotada de características y atributos muy peculiares.

Una pereja de baile cautiva al público y arranca aplausos de la concurrencia cuando sincronizan sus pasos al unísono. Cualquier disparidad en el esfuerzo común pondrá en peligro el objetivo final.

Lo mismo ocurriría, si una pareja de remeros no remara al mismo ritmo, ni en la misma dirección, durante una competencia. La canoa se quedaría rezagada o, peor aún, se saldría de su senda, quedando descalificada.

La mayoría de los matrimonios que fracasan y terminan en divorcio en el mundo occidental está compuesta por parejas tan disímiles y opuestas en sus intereses y expectativas, que el éxito de la unión se vió comprometido porque cada cual tiró para su lado, de acuerdo a los pensamientos, ideas, creencias y actitudes de uno de los dos, que no necesariamente eran similares a los del otro. Los remeros remaron en direcciones divergentes.

Son personas que una vez sintieron una gran atracción física el uno por el otro y hasta pudieron haber encontrado cierta compatibilidad en los aspectos más superficiales de una relación sentimental pero que, después, durante la convivencia, descubrieron que eran más abundantes los puntos que los separaban que los que los unían. Entonces, ya era demasiado tarde y decidieron seguir adelante.

Al igual que sucede con los ejemplos anteriores, ninguna unión puede prosperar y triunfar si los participantes caminan arrítmicamente, se mueven cada cual por su lado, con intereses diferentes o prioridades contradictorias. Sería como si los bailadores se agarraran de las manos para bailar, uno un tango y el otro un cha cha cha.

Encontrar lo que algunos han llegado a llamar nuestra alma gemela, es fundamental en el camino hacia el éxito. Y aunque, tal vez, haya algún lector que piense que si alguien decide permanecer solo puede llegar perfectamente a alcanzar el éxito que lo conduzca a la plenitud de su vida, la verdad es que, de la misma forma que un solo bailador o un solo remero pudieran terminar alcanzando su meta, el tiempo para lograrlo se haría mucho más largo. Es que cuando trabajamos en equipo, de manera armoniosa y con la sinergia que se deriva del esfuerzo y habilidad de cada uno de los participantes, el proyecto, (sea una competencia de remos, un concurso de baile o la felicidad dentro del matrimonio) se logra con mayor facilidad y rapidez.

¿Pero cómo podemos reconocer a nuestra alma gemela? La pareja ideal es aquella que piensa igual que nosotros, por lo menos en un 80% de los temas relacionados a los negocios y el dinero, la fe y la espiritualidad, las relaciones familiares, los hijos y su crianza, entre otros asuntos. Si se siente atraído por alguien que difiere de usted la mayoría de las veces en asuntos como ésos, por muy grande que sea la atracción física o la compatibilidad sexual o emocional, al final, cuando se eclipse el romanticismo inicial y prevalezcan los factores ordinarios de la vida cotidiana, la relación se convertirá en una asfixia para ambos.

En la mayoría de los casos, junto a cada triunfador, hay una esposa o un esposo exitoso que ha trabajado con el mismo ahínco y capacidad para facilitar el éxito y la prosperidad. Puedo dar fe de eso con mi propio testimonio de vida.

2- <u>Reconozca y valore el trabajo de los demás</u>.
A todos nos gusta sentirnos importantes. El trabajador que recibe una buena propina y, además, algún elogio por su trabajo, lo atenderá todavía mejor la próxima vez. Detrás de cada triunfador, hay alguien que ha sabido estimular a sus semejantes.

Hay algunas personas que piensan que si utilizan elogios con sus empleados, estos llegarán a corromperse. Nada más lejos de la verdad. No hay dueño de empresa ni administrador que pueda estar en todos los lugares de su compañía, al mismo tiempo. Por lo tanto, mientras más grande es el centro de trabajo, más difícil se hace el triunfo sin el trabajo a conciencia de todo el personal. A veces llegamos a algún centro de trabajo, y en solo unos pocos instantes, podemos percatarnos del desastre sistémico en la organización o la pobre calidad del servicio que allí se presta. Casi seguro el lugar es operado por un dueño o gerente malhumorado e intolerante que es incapaz de reconocer y valorar el esfuerzo de sus subalternos. Por consiguiente, como esos empleados saben que, hagan lo que hagan ellos, nunca serán reconocidos ni apreciados por el jefe, terminan adoptando la ley del menor esfuerzo.

Trate de dejar una estela de pequeñas muestras de gratitud a su paso por la vida. Se sorprenderá de cómo transformarán su camino hacia el éxito. Uno de nuestros mayores descuidos es la falta de apreciación. El elogio, el reconocimiento del esfuerzo ajeno o una simple valoración positiva de los demás, cuando es genuina y sincera, es una fuerza poderosa que facilita y acelera la conquista de nuestras metas y nos abre las puertas de la vida.

3- <u>No critique a sus semejantes, hagan lo que hagan</u>.
Cada vez que escucho a alguien hacer una "*crítica constructiva*" tiemblo por dentro. No existen las críticas

constructivas cuando se hacen sobre el comportamiento de una persona. Podemos perfectamente hacer una observación constructiva de una situación general pero es nocivo señalar y culpar como responsable a alguna persona específica, a menos que se desee ponerlo en entredicho a la luz pública. Pongamos, a continuacion, algunos ejemplos para que el tema se entienda mejor.

Si llega usted al banco y ve una larga fila y un sólo cajero atendiendo a los clientes, es perfectamente legítimo hacer una observación constructiva al gerente, haciéndole saber que por el propio bien del banco, sería conveniente que se ampliara el número de empleados en caja para que los depositarios no tuvieran que esperar demasiado para ser atendidos. De esa forma, nadie se incomodaría y el banco no perdería ningún cliente molesto por esperar. Al hacer eso, usted estaría beneficiando al gerente al ayudarlo a evitar la pérdida de clientes, al tiempo que se evita usted una incómoda espera la próxima vez.

Pero si por el contrario, se aproxima usted al gerente, y mientras le pide disculpas por hacerle una "*crítica constructiva*", le señala lo inaceptable y ridículo que haya un sólo cajero para tantos clientes, provocará en él una reacción defensiva. La crítica termina hiriendo el orgullo personal y coloca a la otra persona en una actitud individual de auto justificación.

Sería muy conveniente iniciar la conversación con una pregunta en vez de una afirmación. En vez de hacer prevalecer su opinión diciendo: "*Me parece que hacen falta más cajeros*", sería mucho mejor decir: "*¿No cree usted, señor gerente, que tal vez si hubieran algunos cajeros más, el banco marcharía mejor y los clientes se sentirían satisfechos?* Al afirmar convincentemente que hacen falta más cajeros en el banco, usted le está dejando saber implícitamente al gerente que él es un inepto, lo que hará que reaccione en defensa propia y argumente a su favor.

El argumento puede escalar y la diferencia de opinión puede llegar a convertirse en polémica. Pero si formula usted su inquietud en forma de pregunta, le estará dejando un margen de maniobrabilidad al gerente que no se sentirá arrinconado ni criticado, sino consultado. La pregunta también debe siempre incluir un beneficio común, no un deseo personal. Esto último denotaría egoísmo mientras que lo primero demostraría que usted está interesado en el buen funcionamiento del banco.

Las críticas son, en realidad, muestras de intolerancia que abren heridas y destruyen la autoestima de nuestros semejantes. La acumulación de las críticas termina causando resentimiento que puede perdurar por mucho tiempo. Nadie desea que le señalen los errores que ha cometido, mediante una crítica o un reproche, aunque crea usted que lo hace de manera constructiva. Dijo una vez el gran filósofo y escritor estadounidense Dale Carnegie que cualquier tonto puede criticar, censurar o quejarse, pero que se necesita grandeza, carácter y dominio para tener comprensión y tolerancia. Sería mucho más efectivo sugerirle al gerente del banco un método diferente que, tal vez, pudiera resolver mejor el problema o mejorar una situación en su propia institución.

Recuerde que, en la mayoría de los casos, hay varias maneras de hacer la misma cosa. La próxima vez que vaya a criticar personalmente a alguien, piense como se sintió la última vez que usted fue criticado.

4- Sonría abundantemente.
Desde que tenía apenas unas semanas de nacido, nuestro hijo Alexandro aprendió a sonreír abundantemente. Su

sonrisa es capaz de derretir un tempano de hielo. Y es que la sonrisa de un niño es la sonrisa más genuina que pueda haber.

Las acciones expresan mucho más que las palabras y cuando sonreímos, le dejamos saber a los demás que nos agrada su presencia. Algunas personas han alcanzado el éxito y la prosperidad, casi exclusivamente por su enorme capacidad de agradar a los demás. El Dr. James McConnel, sicólogo de la Universidad de Michigan, dice que la gente que sonríe a menudo tiende a trabajar, enseñar o vender con mayor facilidad. En una sonrisa hay mucho más poder y más información que en cualquier otro gesto o en un montón de palabras.

Todo el mundo desea la felicidad. El hombre es un animal social y por consecuencia, la paz y la armonía son elementos esenciales en las relaciones humanas. Cuando sonreímos a un extraño, le estamos enviando un mensaje de paz y una correspondencia armónica que casi siempre será reciprocada. A partir de ese momento se abren nuevos canales de comunicación entre ambas personas. Con la sonrisa le estamos diciendo a esa persona que somos felices y queremos compartir nuestra felicidad.

Una sonrisa no cuesta nada, pero puede rendir un enorme beneficio a quien la ofrece. Además, sonreír desencadena una serie de elementos químicos en nuestro organismo que son muy beneficiosos para nuestra salud. En Cuba, hay un refrán callejero que dice que al cubano se le perdona cualquier cosa menos ser "pesado". Y por pesado se quiere decir antipático, taciturno, amargado, malhumorado o persona que no acostumbra a sonreír.

Si usted desea poseer una llave universal que abra casi todas las cerraduras de la vida, aprenda a sonreír de forma auténtica y sincera y la mayoría de los obstáculos se disolverán a su paso. Al hacerlo, dejara una estela de simpatía y buena voluntad a su paso.

5- Aprenda a recordar los nombres de los demás.
A todos nos gusta sentirnos importantes y ser reconocidos por los demás como tal. Desde hace tiempo, me he hecho el propósito de averiguar lo más posible, los nombres de las personas con las que interactúo en mi vida diaria.

Afortunadamente, hoy en día la mayoría de las personas que trabajan con el público llevan su nombre visible en algún tipo de identificación o distintivo. Eso nos facilita conocer como se llama la cajera del banco, la camarera del restaurante o la agente de la aerolínea que nos asigna el asiento en el avión. Para esas personas sus nombres tienen un valor especial, mucho más importante que cualquier otro nombre del mundo

Cada vez que un extraño se toma el trabajo de averiguar el nombre de algún empleado que lo está atendiendo, se abre un nuevo canal de comunicación que trasciende el simple trámite que se está llevando a cabo. Es como si el cliente le dijera al empleado "--*me interesas como persona y aprecio lo que estás haciendo por mi*--".

Al saludar o reconocer a un extraño por su nombre, lo sacamos del anonimato que caracteriza el trabajo que realiza y lo colocamos en un lugar privilegiado de atención y reconocimiento. Automáticamente esa persona se fijará más en nosotros, nos prestará mayor atención y estará dispuesta a atendernos o a ayudarnos con mayor diligencia. La próxima vez que visitemos ese establecimiento, seremos recordados como la persona especial que tiene el detalle de conocer a todos por sus nombres y seremos reconocidos con un trato preferencial.

Cuando ponemos en práctica esta técnica, comenzamos a sembrar a nuestro alrededor una estela de buena voluntad que es fundamental para vencer dificultades, evitar obstáculos y lograr las metas de nuestra vida diaria.

6- Rodéese de gente triunfadora.
Ya hemos dicho anteriormente que el fracaso no es en sí una fatalidad, sino un evento temporal del que podemos sacar ricas lecciones. Sin embargo, por razones que ya hemos explicado anteriormente y por otras que veremos más adelante, hay personas que convierten el fracaso en un estilo de vida. Todo cuanto tocan o intentan realizar termina mal. Son estos fracasados sistémicos o crónicos los que debemos evitar, porque el fracaso, al igual que el éxito es contagioso.

Tal como la alegría y la tristeza pueden ser contagiadas a los demás, ciertas personas tienen la capacidad de contaminar a otros con sus actitudes negativas y proclives al fracaso.

De la misma forma que a usted nunca se le ocurriría abrazarse a una persona que tenga fiebre porcina, tampoco es saludable que se rodee de personas que hayan hecho del fracaso un modo de vida.

Pero en vez de andar huyendo de los fracasados por el mundo, es mucho mejor y más provechoso rodearse de personas triunfadoras. Más tarde o más temprano podremos aprender como esa persona triunfadora alcanzó su triunfo personal o quizás algún amigo triunfador nos invite a participar en algún negocio o proyecto que nos produzca algún beneficio.

Debemos emular a las personas exitosas y aprender de

ellos los métodos que usaron para alcanzar algún determinado objetivo y las cosas que debemos evitar nosotros, para no fracasar. Después de todo, ellos ya han descubierto el camino del éxito y pueden ser de gran ayuda si podemos imitar sus patrones de trabajo.

Bajo la ley de atracción, si nos rodeamos y compartimos con personas fracasadas, estaremos atrayendo a nuestro entorno energías y actitudes negativas que manifestarán el fracaso en nuestros proyectos. Y no hay nada esotérico en esto. La persona que fracasa continuamente por su pesimismo, incapacidad, falta de perseverancia o vagancia, siempre proyectará la frustración de sus fracasos y tratará que nadie triunfe a su alrededor para no verse en una mayor desventaja. Esa persona inevitablemente nos contagiará de una serie de factores negativos que terminarán alejándonos del éxito. Cuando vea acercarse uno de esos imanes humanos, aléjese de ellos cuanto antes.

7- Evite las discusiones.
Conocí una vez un matrimonio que si uno decía blanco el otro automáticamente decía negro. Era algo enfermizo que enfrentó durante décadas a aquellos dos seres humanos, que por otra parte, eran encantadores. Discutían por las cosas más insignificantes y hasta, en ocasiones, sus amigos para divertirse provocaban alguna conversación, para verlos tomar puntos opuestos y enfrascarse en una caliente discusión. ¡Cuánta energía desperdiciada inútilmente y cuántas emociones que llegaron a hacerles daño en muchas ocasiones, tanto a su salud física como a la salud de su matrimonio!

El tiempo que pasamos enfrascados en una discusión sobre política, deportes, religión o tratando de determinar quien tiene la razón de cosas banales e intrascendentes, es tiempo perdido.

Las discusiones nos alteran los nervios, desatan dañinas hormonas en nuestro torrente sanguíneo, nos desenfocan de las cosas importantes de la vida y abren heridas y resentimientos hacia nuestros adversarios. Cuántos accidentes no han sido causados por conductores que se encontraban en medio de una acalorada discusión sobre un tema trivial y perdieron la concentración al volante.

La mejor discusión es la que se logra evitar. Porque en medio de una discusión, al defender con vehemencia nuestro punto de vista, el apasionamiento nos impide ver el otro lado de la moneda y se nos hace imposible razonar adecuadamente.

Nadie puede tomar una decisión correcta cuando la misma se hace en el marco de un acaloramiento o de un torbellino de emociones. Las discusiones también pueden terminar en tragedias de las cuales solo podremos arrepentirnos después.

Las personas exitosas no discuten inútilmente, sino que emplean su tiempo y energías en cosas positivas que les produzcan nuevas y mejores relaciones humanas o nuevas oportunidades a través de las cuales alcanzar un mayor bienestar.

8- No pierda tiempo añorando el pasado ni se atormente por el futuro.
Parece increíble que haya tanta gente que viva exclusivamente añorando el pasado, en medio de una nostalgia enfermiza que no aporta nada. Son los que dicen continuamente que "*esos*" si eran tiempos buenos, no como los de ahora, y que ya nunca volverán. Si pudiéramos ver cómo fueron esos tiempos pasados para ellos,

comprobaríamos que ahora viven mejor que antes. Sin embargo, esas añoranzas les impiden enfocarse en ser dueños del presente que es en verdad donde se desarrolla la vida. Todo pasado fue presente alguna vez.

A veces, los recuerdos del pasado producen discusiones increíbles entre ese tipo de personas sobre temas verdaderamente insignificantes como si la calle tal pasaba o no por el parque central del pueblo donde vivían. Esas pobres criaturas prefieren enfocarse en un tiempo que quedó atrás en vez de concentrarse en mejorar el presente.

Eso no quiere decir que no es bueno recordar los momentos agradables del pasado o pensar en alguna situación pasada que nos permita aprender una lección que tenga una aplicación práctica en el momento actual. Lo malo no es recordar el pasado sino vivir en el.

Si la nostalgia sobrepasa ciertos límites, puede desembocar en un estado anímico depresivo porque la persona muestra, en todo momento, una inconformidad con su mundo actual, al que compara continuamente con un mundo pasado, que bajo su percepción, fue mucho mejor.

Todo el tiempo que pasamos añorando el pasado, es tiempo perdido. Nuestras energías, esfuerzo y dedicación deben concentrarse en el presente. Si no, trate de venderle a alguien, uno de aquellos deliciosos mangos que tenía la mata del patio de su casa en el pueblo donde vivía hace cuarenta años, y verá lo que piensan de usted.

Si dañina es la nostalgia por el pasado, también lo es la preocupación excesiva por el futuro. Eso no significa que tengamos cierta sana prudencia y previsión por el mañana, pero de ahí a vivir en una continua angustia por lo que todavía no ha ocurrido, hay un camino largo.

Desconocemos cómo será nuestra vida el día de mañana. Ni siquiera sabemos dónde estaremos dentro de seis meses o un año. Por lo tanto, preocuparse exageradamente por el futuro es una manera inútil de pasar el tiempo y gastar nuestras energías. Más nos valdría invertir ese tiempo y ese esfuerzo en estructurar nuestro presente de manera que podamos asegurar ciertos factores positivos en el futuro.

Hay quiénes se pasan la vida agobiados por lo que pudiera pasar mañana. Nunca llegan a disfrutar del presente, preocupados por si pudieran perder la salud o el empleo más adelante. Esos esclavos de la incertidumbre agonizan al imaginar una serie de calamidades y situaciones adversas que, en la mayoría de los casos, terminan, en efecto, atrayendo hacia sus personas, por lo que se convierten en profetas de sus propias desgracias.

Cuando sentimos culpa por las acciones imperfectas o los errores que cometimos en el pasado, o sentimos ansiedad por la incertidumbre del futuro, dejamos de vivir en el presente que es nuestro único momento de realidad.

La mejor inversión es la que hacemos hoy, con vista a mejorar nuestro futuro, para cuando ese momento se convierta en el presente.

9- Haga de la lectura, un hábito constante.
Coloque a una persona que abandonó sus estudios en el cuarto grado, dentro de una biblioteca y facilítele acceso a cuanto libro quiera leer. Al pasar de los años, se habrá convertido en un erudito autodidacta, capaz de conversar con profundidad de cualquier tema porque habrá adquirido una gran cultura general a través de la lectura.

De igual forma, si una persona se gradúa con un doctorado en medicina o leyes pero jamás abre un libro en su vida que no sea relacionado a su campo de estudios, tendremos a un doctor que será un perfecto ignorante en temas de cultura general. Eso es muy común en los Estados Unidos.

La lectura abre nuevos horizontes, enriquece nuestro entendimiento del mundo exterior y nos permite conocernos a nosotros mismos. El mejor regalo que me hicieron los adultos de la familia en cuyo seno nací, fue el haberme inculcado el hábito a la lectura. Yo he leído cientos de libros desde la corta edad de cinco años, hasta el día de hoy. Cada uno de ellos me ha aportado un valioso legado de conocimientos e información.

A través de la lectura de novelas policíacas pude viajar por los barrios bajos de las ciudades americanas cuando aún no había cumplido los diez años de edad. Las Mil y Una Noche, Mobby Dick y los Viajes de Gulliver me permitieron viajar a otros mundos y culturas lejanas. Más tarde conocí las maravillas del fondo del mar y el interior de la tierra de la pluma de Julio Verne. Con la adolescencia llegaron las biografías de Nixon, Patton y Kennedy y de adulto los libros de filosofía y ciencias.

Un buen libro es un mundo maravilloso de conocimiento. Sus páginas son estrellas que iluminan nuestro intelecto, capaces de plantar una rica cosecha en nuestra mente. ¡Que lástima que cada vez son menos las personas que valoran la lectura!

Haga de la lectura un hábito diario y podrá convertirse en un conversador interesante, que sabrá un poco de todo, y a quien todos buscarán para pasar un buen rato o para intercambiar opiniones. Aumentará su confianza y seguridad en sí mismo, mejorará su auto estima y podrá usted tomar decisiones más informadas porque dispondrá de un marco más amplio de información y cultura que le facilitará el camino al éxito.

Si me permitiera usted hacerle una recomendación un poco egoísta, le pediría que si encuentra algún provecho en este libro que ahora está leyendo, lo comparta o recomiende a otras personas.

10- Trabaje en algo que le guste.

Si observamos a los triunfadores, son personas que disfrutan y se divierten trabajando. Cada persona exitosa siente una pasión especial por lo que hace. Es que los seres humanos sólo podemos entregarnos de cuerpo y alma cuando sentimos una atracción emocional hacia algo.

El trabajo, si no nos gusta, se convierte en una obligación y en un estorbo. Nadie puede sentirse feliz trabajando en algo que le incomoda o solo para cubrir una necesidad económica. Ese trabajador siempre estará insatisfecho y solamente entregará un mínimo de esfuerzo y dedicación para que no lo despidan. No hay nada que produzca más estrés e insatisfacción, con la excepción de una enfermedad, que un trabajo donde nos sentimos asfixiados y agobiados.

Por muy lucrativa y prestigiosa que sea la medicina, si usted no siente vocación médica, jamás será un buen médico. Y si sus padres lo obligaron a obtener un doctorado en medicina, terminará odiando su carrera o profesión.

En todo momento, es muy importante poder identificar nuestra verdadera vocación. A veces no es fácil, sobre todo entre jóvenes adolescentes que pueden tener gran incertidumbre sobre lo que quieren estudiar. Esa inseguridad es muy normal en esa etapa de la vida. Recuerdo cuando apenas yo tenía dieciocho años de edad, que el hermano de una buena amiga cursaba la carrera de ciencias mortuorias. Para los jóvenes del grupo, aquello era una locura y ninguno entendía como una persona joven y moderna pudiera querer estudiar algo que tuviera que ver con cadáveres y con la muerte. Pero para aquel joven no existía ninguna otra carrera interesante y finalmente se graduó con honores, llegando a ser más tarde un destacado director funeral.

Warren Buffet, Bill Gates, Bill O'Reilly, Denzel Washington, Hillary Clinton o Bárbara Walters han triunfado en cada uno de sus proyectos, porque disfrutan apasionadamente lo que hacen. Una vez, alguien dijo que cuando el trabajo, el compromiso, el placer y la pasión se convierten en una misma cosa, nada es imposible.

Si en la actualidad usted se encuentra agobiado o asfixiado dentro de un empleo que detesta o que no le proporciona toda la satisfacción que desearía tener, haga una lista de las diez cosas que le gustaría hacer. Luego colóquelas en orden de importancia, poniendo primero en la lista lo que más disfrutaría realizar. Después trate de identificar los requisitos de cada tipo de empleo y los conocimientos, experiencias o aptitudes que usted posee en relación a cada uno de ellos.

Cuando haya terminado, tendrá frente a usted una clara idea de las opciones o alternativas posibles. Lo próximo sería preparar un buen currículum y empezar a tocar puertas. No se desespere por el rechazo ni deje su empleo actual hasta que haya conseguido otro. Pero le garantizo que si sus expectativas son razonables y programa su mente con la actitud que hemos explicado en el segundo capítulo y pone en práctica las 10 claves del éxito, más tarde o más temprano obtendrá el trabajo que anda buscando.

Sin embargo, es importante tener expectativas razonables. Yo jamás hubiera podido ser contratado para la lucha libre porque apenas peso 160 libras. Tampoco hubiera conseguido trabajo como salvavidas en la playa, porque no soy buen nadador. Pero con ciertas y determinadas excepciones, cada persona puede realizar un sin número de trabajos donde obtendrá una mayor satisfacción personal, tendrá un mayor éxito que en su empleo actual y ganará mucho más dinero.

Capítulo 10

LAS HERRAMIENTAS DEL ÉXITO

A lo largo de este libro hemos propugnado la idea que el éxito está directamente relacionado a nuestra manera de pensar. Y si bien esa es una gran verdad, no podemos alcanzar el éxito tan solo con reprogramar nuestros pensamientos, si luego nos cruzamos de brazos a esperar que las cosas se produzcan solas.

El éxito es una combinación de pensamientos positivos, acciones personales proactivas y circunstancias externas que debemos aprovechar. A continuación les ofrecemos algunas reflexiones sobre las herramientas que tenemos a nuestro alcance para propiciar el triunfo en cada uno de nuestros proyectos. Son herramientas que no cuestan nada pero que nos pueden aportar grandes beneficios.

LA INTUICION

Albert Einstein dijo que la cosa más valiosa del mundo era la intuición.

En años recientes, la intuición, que había sido considerada por mucho tiempo como algo perteneciente a un pasado oscuro y subdesarrollado, ha tenido un resurgimiento. Su importancia está siendo reconocida a todos los niveles y se le llega a valorar en los principales centros académicos del mundo.

Desde que el Dr. Malcolm Westcott culminó el más importante estudio de la era moderna sobre la intuición, en la universidad de Toronto, el tema está siendo estudiado y comentado por los principales estudiosos del comportamiento humano. Utilizando un experimento puramente matemático, Westcott descubrió que las personas que tienen una mayor intuición son confiadas, auto suficientes, independientes, espontáneas, visionarias, resistentes al control o a la dirección de terceros y son las más propensas al éxito.

101

La intuición parece ser una facultad mental natural que nos permite el descubrimiento de las cosas, la búsqueda de soluciones, la generación de ideas o la pronosticación de situaciones futuras. Es una facultad de la mente donde no media ningún proceso consciente, deliberado o racional. Los grandes genios de la historia han tenido muy desarrollada la capacidad de intuición.

También las mujeres, según mi propia experiencia personal, parecen tener más desarrollado el sentido de la intuición. En poco tiempo, yo aprendí a valorar la capacidad intuitiva de mi esposa Rosa y hoy la utilizo como una herramienta importante a la hora de tomar decisiones. Confieso que en ciertos momentos, sus comentarios intuitivos me parecieron prejuicios injustificados, pero el tiempo le dió la razón y demostró que su apreciación inicial, basada en una pura intuición, resultó de gran exactitud.

Hoy en día la ciencia ha tratado de explicar esta capacidad humana hasta ahora incomprensible. Según algunos científicos, la intuición pudiera ser un proceso de racionalización tan rápido y a un nivel tan profundo de nuestra mente, que llega a ocurrir a nivel subconsciente y de cuyos pasos no nos damos cuenta. El hecho que sean las mujeres las que tienen un sentido más agudo de la intuición, parece indicar que pudiera tratarse de una función neuropsicofisiologica del cerebro.

De igual forma, hay quienes piensan que la intuición es, sobre todo, una penetración momentánea en el conocimiento y sabiduría del Universo. Como si nuestra mente fuera capaz de descorrer, por unos instantes, el velo que nos separa de esa inteligencia universal que muchos llaman el espíritu divino. Una ráfaga de inteligencia divina que entra por el resquicio de una ventana que se abre por una fracción de tiempo para avivar nuestro intelecto. Otros piensan que es la verdadera voz del espíritu de Dios que nos ilumina desde el interior de nuestra alma.

Algunas otras personas creen que se trata de la manera que usa nuestro ángel de la guarda para alertarnos de posibles situaciones adversas y evitarnos algún tropiezo.

Hay quienes creen que la intuición tiene una relación directa con los fenómenos síquicos y paranormales. En ese caso, nuestra mente sería capaz de penetrar una corriente de conocimiento de hechos que todavía no han ocurrido en nuestro espacio y tiempo. Como cuando vemos a un joven que va caminando por una acera, acercándose a una anciana que camina delante de él, y sin poder explicar cómo, llegamos a anticipar que se va a perpetrar un atraco y, segundos después, el ladrón termina arrebatándole el bolso a la indefensa mujer.

Como no es nuestra intención explicar el verdadero origen de la intuición, nos quedaremos sólo en la importancia de la misma como herramienta para alcanzar el éxito. La intuición es algo tan importante que puede contribuir a nuestros triunfos y ser una guía poderosa en todos los aspectos de la vida.

Cualquiera que sea la razón o razones de la intuición, si logramos desarrollar nuestra capacidad intuitiva, podremos anticipar los resultados de una serie de eventos, aun sin disponer de elementos previos de información y conocimiento. De esa forma, podríamos evitar errores que nos conduzcan al fracaso.

Según los entendidos en la materia, la capacidad de intuición puede ser desarrollada y agudizada. Para eso es necesario el silencio, la desconexión del estrés de la vida ordinaria, lo que se puede lograr con algunos ejercicios de relajación y respiración. Tampoco es el propósito de este libro, enseñar esas técnicas aquí. Para ello le recomendamos trabajos como "*The Edge of Intuition*" de Phillip Goldberg o "*Desarrollando la Intuición*" de Santi Gawain.

Todos poseemos cierto grado de intuición en mayor o menor medida. Descubra su propia capacidad personal. Conózcala y escúchela. Aprenda a aprovecharla como un tercer ojo de aguda visión que le ayudará a salir victorioso en la mayoría de las situaciones de la vida donde tenga que tomar decisiones importantes.

LA ACTITUD

La actitud es un estado mental o un conjunto de ideas y sentimientos en relación a algo o a alguien. Es, además, la disposición anímica del ser humano expresada de algún modo en particular.

La actitud no es producto de la genética ni se hereda de nuestros padres. La actitud se forma a partir de una serie de patrones de interpretación que se han ido acumulando en nuestra mente durante toda la vida, desde que éramos niños.

Toda actitud puede ser positiva, neutra o negativa. Cuando las actitudes son neutras se manifiestan por la indiferencia con que nos comportamos ante una situación particular

Las actitudes negativas, en la mayoría de los casos, se han formado a partir de falsas premisas, malos consejos, traumas emocionales, conductas aprendidas de nuestros familiares, traiciones, desengaños o experiencias negativas. El resultado puede llegar a ser el miedo, la desconfianza y los prejuicios. Muchos de nuestros fracasos se deben a actitudes negativas que entorpecieron el desarrollo de un proyecto o una empresa.

Las actitudes positivas, se manifiestan en predisposiciones efectivas acordes a las circunstancias, Entonces, como la actitud es la manera en que diseñamos las cosas en nuestra mente y la manera en que reaccionamos a las experiencias y estímulos del mundo, en la medida en que podamos mejorar nuestra actitud, mejorarán rápidamente nuestras finanzas, nuestro bienestar y nuestra felicidad.

LA INFORMACION

Los últimos 200 años han sido los años de la revolución industrial, pero desde la última década del pasado milenio, hemos entrado en un nuevo tiempo, la era de la información. Quienes dominen el acceso a la información, dominarán el mundo.

Hasta hace poco, la información y el conocimiento estaban depositados en las bibliotecas de nuestras ciudades o centros académicos. Pero desde el advenimiento de la internet, la información y el conocimiento están al alcance de nuestra mano, día y noche, a través de nuestra computadora personal, el disco compacto, nuestro teléfono personal, o cualquier otro método electrónico de la era cibernética.

Quien sepa aprovechar y dominar el mundo de la información no tendrá obstáculos para conquistar cualquier frontera. Cuando preparé mi último libro a principios de la década del 90, la investigación del tema me tomó cientos de horas durante más de un año y varios viajes a lugares lejanos. Hoy en día, la preparación e investigación de este libro, que usted está leyendo, me ha tomado una fracción del tiempo y casi todo ha sido logrado gracias a la internet. De hecho, este libro está disponible para ser leído por la internet, sin que usted tenga que hojear las páginas de un libro tradicional, si lo prefiere. La ventaja de eso es que millones de potenciales lectores lo pueden leer al mismo tiempo desde cualquier lugar del mundo sin que haya que gastar papel o tinta.

En 1995, la internet nos permitió averiguar al instante el nombre de la capital de Albania o del principal rio de París. En el 2000, pudimos ver las fotos y videos de esas mismas ciudades y países sin tener que salir de nuestra casa. Y en la actualidad, podemos ver como lucen los barrios, las calles, los edificios como si estuviéramos allí, y hasta el interior de cualquier museo, en un recorrido virtual, tridimensional de sus pasillos y corredores para poder apreciar sus valiosas obras de arte. Pero aun no somos capaces de imaginar lo que nos depara el futuro de la era informática.

La internet nos permite leer a Vargas Llosa, ver la última película de Clint Eastwood o escuchar la más reciente grabación de Plácido Domingo sin levantarnos de nuestra mesa de trabajo. Toda la información y el conocimiento acumulado por siglos está ahora al alcance de cualquier persona que pueda conectarse a la internet. No hay tema ni tópico que se resista y lo mejor es que esa información nos pertenece a todos nosotros y no nos cuesta nada utilizarla. Hasta podemos escuchar cualquier estación de radio, de cualquier ciudad del mundo, a través de la conexión de nuestra computadora con la red mundial. El concepto de distancia prácticamente ha desaparecido con el advenimiento de la internet.

En la realización de nuestros proyectos, la recopilación y análisis de información es fundamental. Lo mismo si estamos planificando un proyecto de bienes raíces o si deseamos vender juguetes o vitaminas, el éxito será de quien pueda entender mejor el mercado y ofrecer el mejor producto de la forma más eficiente posible. Para eso es imprescindible disponer de información técnica veraz que nos permita un amplio y profundo entendimiento de lo que queremos hacer.

Aprenda a aprovechar esa incalculable riqueza gratuita e inagotable que es la internet y sus múltiples aplicaciones. El que no lo logre, quedará rezagado y muy probablemente terminará en el fracaso.

Le recomendamos cursos educacionales sobre diseño de páginas, navegación y búsqueda, publicación y mercadeo o cualquier otra aplicación que esté relacionada al mundo de la cibernética moderna.

EL SISTEMA

Toda empresa, grande o pequeña, requiere de un sistema para que pueda funcionar. Mientras mejor y más eficiente sea el sistema, mayor será el éxito del proyecto o de la empresa.

Un sistema es una serie de pasos ordenados y coherentes, o elementos relacionados entre sí, que tienen como propósito alcanzar un objetivo mediante el procesamiento de datos, energía y materia. Todo sistema está compuesto de uno o varios elementos y tiene uno o varios objetivos finales.

El mejor sistema es aquel que logra ser un todo integrado, aunque compuesto de estructuras diversas, interactuantes y especializadas y que logra ejecutar una función imposible de realizar por cualquiera de las partes individuales. Para resumir, pudiéramos decir que un sistema es una colección organizada de personas, máquinas y métodos, necesarias para cumplir un objetivo específico.

Como ejemplo de un sistema pudiéramos citar todos los elementos de una orquesta sinfónica: el director, los músicos, los instrumentos y las partituras que permiten, que en un momento dado, todos esos elementos produzcan la interpretación del Lago de los Cisnes, por ejemplo.

Para lograr el éxito en cualquier proyecto que emprendamos debemos tener el mejor sistema posible.

Es preciso comenzar con una imagen clara del objetivo final que pretendemos lograr. Ningún carpintero podrá crear un mueble que valga la pena si trabaja a ciegas sin una idea clara y definida de lo que está construyendo. O de lo contrario cortará pedazos de madera de manera incoherente que nunca encajarán con los demás.

La mayoría de las personas fracasan porque no disponen de un sistema adecuado para sus proyectos.

Después de visualizar con claridad el resultado de lo que deseamos obtener, el primer paso en todo proyecto debería ser un análisis de la factibilidad o viabilidad del proyecto en sí. ¿Sería acaso inteligente vender paraguas en un lugar de clima desierto, donde casi nunca llueve, y donde no habría necesidad para ese tipo de artefactos? Claro que no.

Luego de establecer la factibilidad de la empresa que deseamos desarrollar, debemos acumular la mayor información que nos permita establecer un plan de acción o sistema operativo lo más eficiente posible. Aquí es muy importante aprovechar la experiencia de quienes ya han triunfado en proyectos similares.

También es imprescindible la organización de prioridades. Si vamos a desarrollar un proyecto inmobiliario no podemos comenzar sembrando la jardinería. Eso sucederá al final de la construcción. Primero es preciso obtener los permisos requeridos por las autoridades reguladoras y trazar un plan de mercadeo que nos permita comenzar a vender las propiedades desde el momento que obtengamos la debida autorización. Después vendrán las diferentes etapas de la obra comenzando por los cimientos hasta finalizar con la decoración.

Un aspecto fundamental de todo sistema exitoso es que esté desarrollado, dentro de un marco de ética y moral, que permita que los demás confíen en usted. Trate de entender las necesidades de los demás antes que ellos entiendan las suyas propias y busque una manera en que todos puedan salir ganando al final de la negociación.

Muchísimos proyectos han fracasado porque sus

desarrolladores han recurrido a esquemas de fraude o engaños, que han terminado minando la confianza de los consumidores y han manchado la empresa con una mala imagen o reputación.

Sepa aprovechar e incorporar las ideas de los demás, sean éstas las aplicadas anteriormente por otras personas en proyectos similares o las de sus colaboradores en su proyecto actual. Casi nadie puede triunfar por sí sólo. Las grandes empresas de la historia, desde la construcción de la Muralla China, el descubrimiento de América, hasta la conquista de la Luna, han sido logradas por la incorporación de las ideas y el esfuerzo de muchas personas, integrados a un mismo sistema.

Todo sistema exitoso debe tener la capacidad de adaptación a medida que va desarrollándose el proyecto. La retroalimentación de una serie de experiencias cotidianas debe servir para ir perfeccionando el sistema a medida que transcurre el tiempo. Si vamos a los parques de atracciones de la empresa Disney notaremos que todo funciona con una perfección asombrosa. Sin embargo, ese grado de perfección no se logró desde el primer día que abrieron los parques, sino que se ha ido obteniendo con el paso del tiempo y mediante la acumulación de experiencias y fracasos que sirvieron para corregir

LA PALANCA

Arquímedes dijo que si le daban una palanca sería capaz de mover la tierra. Una palanca es una herramienta que

obstáculo, con la aplicación de una mínima fuerza.

En el mundo de los negocios o en la vida cotidiana, mientras más efectiva sea nuestra palanca más fácil obtendremos los resultados deseados.

Como ejemplo práctico, imaginemos que usted ha publicado un folleto sobre su experiencia y conocimiento sobre la cría de conejos. Su propósito es vender el folleto, que tiene un costo individual de 1 dólar, por un precio de 5 dólares. Si una vez terminada la impresión de los primeros mil ejemplares, usted se para a venderlos en la puerta de su casa, le garantizo que sólo lo comprarán su esposa y sus hijos, si acaso. Pero si se coloca a la entrada de un gran centro comercial, probablemente termine vendiendo varias decenas al cabo de la primera semana. ¿Y qué pasaría si su folleto fuera colocado en todos los aeropuertos del país? Sin dudas, las ventas se multiplicarían rápidamente. Sin embargo, si usted pudiera ofrecer su folleto a millones de personas a través de la internet, su potencial de ventas sería instantáneamente exponencial porque podría llegar a todos los rincones del mundo al mismo tiempo.

La palanca en el párrafo anterior es el lugar escogido para promover o mercadear el folleto. Mientras mayor sea el tráfico de personas a las que expongamos nuestro producto o servicio, mayor será el resultado deseado.

Y usted también puede aplicar el principio de la palanca para ampliar el alcance de sus talentos y fortalezas. Al desarrollar este principio para su carrera o negocio, podría lograr muchísimo más que lo que lograría usted si trabajara solo. Hay muchas formas de usar esta herramienta clave para el éxito profesional y empresarial. Al utilizar diversas formas de palanca, aprovechamos mejor el tiempo, el trabajo, los talentos, la experiencia, el capital o las relaciones de los demás.

Aprenda a utilizar como palanca la energía y el conocimiento de otras personas. Eso le ahorrará trabajo, tiempo y dinero. Si podemos aprovechar las experiencias adquiridas por otras personas, sobre todo si son personas triunfadoras, evitaremos muchos errores y nos acercaremos más rápidamente a nuestro objetivo. En las biografías o libros escritos por grandes triunfadores hay mucha sabiduría que podemos poner a trabajar a nuestro favor. Se sorprenderá al ver que muchas de esas personas ricas y famosas, en algún momento, se encontraron en la misma situación que usted se encuentra hoy en día.

Después, cuando haya alcanzado el éxito, le tocará a usted ser la palanca de otros y ayudarlos a triunfar de igual manera. Haga todo lo que esté a su alcance para ayudar a los demás y las recompensas serán infinitas.

La mayoría de los motivadores personales hacen gran énfasis en la importancia de la palanca como herramienta para lograr nuestros objetivos con el menor esfuerzo y dificultad posibles. La palanca es un arma poderosísima para acelerar nuestra productividad.

LOS MENTORES

Era un día cálido y húmedo. Recuerdo que estábamos sentados frente al mar en la isla de Santa Cruz de Tenerife, una hermosísima ciudad de las Islas Canarias. Quien más tarde sería uno de mis mejores amigos, Moisés de Paz, me preguntó en aquel entonces cuáles eran mis planes para el futuro y para la época de mi jubilación. Me quedé perplejo y sin respuesta. Yo apenas tenía unos cuarenta años de edad en aquel entonces y el tema no era una de mis prioridades. No había pensado en eso en mucho tiempo y el asunto no me era de gran preocupación en esos días. Moisés insistió en que con mi talento, estaba haciendo ricos a otros al trabajar para ellos, pudiendo trabajar para mí mismo con un mayor beneficio. Aquel simple comentario fue como una semilla que se plantó en mi mente.

Al regresar a los Estados Unidos decidí esforzarme más en mi recién iniciado trabajo de televisión. Vendí unas acciones que tenía e invertí algún dinero en bienes raíces y un día decidí dejar un salario de $ 100,000 en una emisora de radio para irme a otra estación, donde no recibiría ningún sueldo por mi trabajo. Me arriesgué a abandonar mi zona de comodidad para aventurarme como trabajador independiente. Cambie la seguridad de disponer de un lucrativo cheque cada quincena, por la libertad de no tener que responder a nadie, aunque con el riesgo que eso suponía financieramente.

Cuando les comuniqué mis intenciones a mis superiores, compañeros de trabajo, amigos y familiares, me dijeron que estaba cometiendo una locura. Sin embargo, actué con el respaldo de mi esposa Rosa con la que había contraído matrimonio tres meses antes. Ella me inspiró a tomar el difícil paso y, aprovechando su intuición, me auguró que sería algo muy provechoso y determinante en mi carrera. No se equivocó en lo más mínimo.

Esa decisión ha sido la más provechosa y lucrativa de toda mí carrera en los medios de comunicación. Moisés de Paz fue para mí, en ese entonces, como un mentor personal que me inspiró a volar con alas propias y por alturas más elevadas. Sus consejos y estímulo me motivaron a trazarme metas y alcanzar objetivos insospechados. En menos de tres años, pude aumentar mis activos considerablemente y vivir una vida mucho más placentera y despreocupada.

Detrás de cada triunfador hay un mentor que tuvo una influencia fundamental y decisiva en algún momento de la vida.

Los mentores nos dan una perspectiva más amplia, basada en sus propias experiencias y éxitos. De ellos podemos aprovechar todo un caudal de conocimiento y evitar tropezar con los mismos obstáculos que ya ellos aprendieron a evadir. Y lo más importante, los mentores nos ayudan a perseverar. Porque el mayor peligro en el camino de un empresario es que abandone el proyecto a mitad de camino por aburrimiento o frustración.

Pídale a Dios que coloque en su camino alguna persona que pueda influir positivamente en su vida y estoy seguro que el Señor se lo proporcionará. Lo demás... dependerá de usted.

EL EQUIPO
Sin duda alguna, el equipo más efectivo de la historia de la humanidad fue el escogido por Jesús de Nazaret. Aquellos once apóstoles originales, más uno que se agregó después de la muerte de Judas, propagaron el cristianismo por todo el mundo conocido y fueron capaces de recorrer enormes distancias, venciendo las más terribles dificultades, para cumplir el mandato, que habían recibido, de propagar el evangelio a todos los pueblos de la tierra.

Una orquesta sinfónica no puede funcionar con un solo músico. Un equipo de fútbol o baloncesto, requiere de la actuación coordinada de varias personas. Ninguna batalla se ha ganado jamás con un solo soldado.

En el mundo de los negocios sucede igual. Seremos más efectivos mientras mejor sea nuestro equipo de trabajo porque podremos aprovechar la sinergía colectiva de un grupo para alcanzar una meta. Una soga de barco está compuesta por cientos de finos filamentos y un rayo láser no es más que la concentración de miles de rayos individuales.

Si un remero puede avanzar solo, a una velocidad de 5 kilómetros por hora, cuando otro remero reme a su lado, su velocidad será muy superior a los 10 kilómetros por hora. Un remero potenciará la capacidad del otro.

Rodéese de las mejores y más calificadas personas que pueda encontrar, y tendrá asegurado parte del éxito. Lea las biografías de Sam Walton, Donald Trump o Lee Iacoca y verá como supieron rodearse de personas extraordinarias que los ayudaron a triunfar en sus empresas. Los que hemos seguido el boxeo, muchas veces hemos escuchado que tan importante es la calidad del boxeador, como el equipo de ayudantes que éste tenga en su esquina, aunque cuando suene la campana, éstos últimos, no suban al cuadrilátero a pelear.

Muchos fracasos de la historia se han debido a la ausencia total o a la pobre calidad de un equipo de trabajo. ¿Cuál ha sido la causa del éxito de la Toyota y el fracaso de la General Motors? En gran medida ha sido el equipo de líderes administrativos de ambas empresas.

Para su próximo proyecto, seleccione cuidadosamente a las personas que lo acompañarán. Estudie sus credenciales, experiencia y conocimiento. También es muy importante que sean personas honestas y de una alta ética de trabajo. Estimúlelos en todo momento y sepa valorar el aporte de cada uno. Verá como su nave atraviesa velozmente los mares a pesar de las tormentas del camino.

LA RED
¿Ha visto usted cómo trabajan las hormigas o las abejas?

114

Esos animalitos laboran en complejas y organizadas redes que les permiten alcanzar objetivos insospechados.

El mercadeo multi nivel que fue popularizado por empresas como Amway, Avon, Tahitian Noni o Mary Kay Cosmetics es el mejor ejemplo de cómo una red de personas puede combinarse para lograr lo que un grupo de personas no puede hacer por sí solos. Un ejemplo simple de personas trabajando en red, es la ola que hacen los fanáticos que asisten a un estadio deportivo para demostrar su entusiasmo. Un grupo pequeño de individuos no podría lograr jamás el efecto deseado.

Si usted logra incorporar a su proyecto a cientos o miles de individuos que aporten un poco de esfuerzo y dedicación, el resultado será extraordinario. El concepto de trabajo en red, nace con la intención de estimular un mayor crecimiento de las economías. De esa forma, se aprovecha la sinergía colectiva de la unión de una masa de colaboradores.

El trabajo en red es el esfuerzo humano aplicado a la producción de riqueza, que es definido por el conjunto estructurado de personas y medios, con un mismo fin. En la mayoría de los casos, los colaboradores de una red no se conocen entre sí. Sólo los une un ideal, una motivación y una cultura corporativa.

La red debe tener un objetivo común y la voluntad explícita de cada uno de sus miembros de querer formar parte de ella. Esto se traduce en un alto grado de implicación y autorresponsabilidad.

Los miembros de una red exitosa se caracterizan por un alto grado de motivación y participación. Y los más nuevos están deseosos de aprender de los más experimentados.

Los conceptos de tener un mentor y trabajar en equipo son indispensables para el funcionamiento exitoso de una red.

Una red sólo se sustenta con el compromiso de todos los miembros que la componen y, en consecuencia, es necesario trabajar siempre de manera tal que cada uno se sienta parte fundamental de ella.

El trabajar en una red, más que un trabajo, es una experiencia. El producto resultante es mucho más que el resultado de la suma de todos. Uno más uno, ya no es igual a dos, por la creación de sinergías durante la interacción entre los miembros de la red. Si usted logra que una red de personas colabore en la realización de algún proyecto, o decide colaborar en una red existente, podrá maximizar su trabajo y también los resultados del mismo.

EL DINERO DE LOS DEMAS
Recuerdo que tenía yo quince años de edad, cuando llegamos a los Estados Unidos y fuimos a vivir con mis tíos Margot y Juan. Juan era contador y trabajaba para una línea de cruceros con sede en Italia. Un día le tomó a Juan más de media hora explicarme como funcionaba una hipoteca y la manera en que se podía comprar una casa con el dinero de los demás.

La maravilla del sistema de crédito es que el consumidor puede adquirir bienes o servicios, mucho antes que tenga el dinero para pagar por ellos. Se puede comprar un automóvil, una casa y los muebles para amueblarla, aun cuando no se tenga la totalidad de los fondos.

El factor más importante que ha permitido que la economía de los Estados Unidos se haya convertido, en apenas doscientos años, en la más próspera del mundo ha sido el concepto del crédito.

La palabra "crédito" viene del latín *créditum*, palabra etimológicamente relacionada al vocablo "creer". En el contexto financiero, "crédito" significa entre otras cosas, confiar o tener confianza y creer en la capacidad financiera de alguna persona o entidad.

En el mundo de los negocios, el crédito es el derecho que tiene una persona acreedora a recibir de otra deudora una cantidad de dinero y puede ser definido como "el cambio de una riqueza presente por una riqueza futura". Si un agricultor vende una cosecha de lechugas a una cadena de supermercados, a un plazo de 60 días, el vendedor confía que, una vez expirado el término del acuerdo, el comprador saldará la deuda incurrida.

El crédito puede ser, como en el ejemplo anterior, la extensión de un plazo de tiempo para que la otra parte pueda vender la mercancía antes de efectuar el pago de la misma. Pero crédito también aplica al dinero que alguien recibe de un prestamista con la promesa de pagarlo paulatinamente o al final de un plazo de tiempo establecido. En la vida económica y financiera se entiende por crédito, por consiguiente, la confianza que tenemos en la capacidad de pago de quien lo recibe y en la voluntad y solvencia de un individuo o una entidad para pagar la deuda contraída dentro del plazo acordado.

El concepto de crédito ha permitido a miles de empresarios el acceso rápido a importantes sumas de capital que luego han sido utilizadas para la creación de una riqueza mayor.

Si estudiamos las sociedades más empobrecidas del planeta, veremos que son aquéllas donde el concepto del crédito no existe por la desconfianza de quiénes tienen el capital, en la capacidad y voluntad de pago de los que no tienen y lo necesitan.

Sin embargo, cuando se puede combinar la confianza del capitalista con la capacidad y voluntad de pago de quien necesita el capital, el crédito se convierte en un poderoso factor de prosperidad mediante la multiplicación de la riqueza.

Ninguna de las historias humanas de éxito y prosperidad que hemos relatado a lo largo de estas páginas se hubiera podido dar, si esas personas no hubieran tenido acceso a algún tipo de crédito.

Cada uno de ellos utilizó el dinero de los demás para financiar una operación o una oportunidad de negocio, adquirir una propiedad o un terreno, o realizar la construcción de viviendas que luego serian vendidas al público.

La utilización del dinero ajeno les permitió desarrollar una idea, aprovechar una oportunidad del mercado, establecer un negocio, llenar un vacío o adquirir una propiedad existente. El uso de ese capital prestado facilitó la creación de nueva riqueza, además de enriquecer a quienes lo prestaron inicialmente.

El dinero de los demás, cuando se aprovecha inteligentemente y con prudencia, puede ser una formidable herramienta a nuestro alcance para aumentar nuestra prosperidad y acercarnos a la realización de nuestras metas.

Capítulo 11

EL DINERO

Hasta ahora, hemos hablado de la riqueza, la prosperidad, la realización de metas o el alcance de la plenitud, pero no hemos identificado los aspectos más importantes del denominador común de esos conceptos, que es el dinero. Si no lo hiciéramos, sería como hablar extensamente de los océanos, los ríos y los lagos sin llegar a mencionar jamás el agua.

La mayoría de las personas recibe una educación integral que les enseña los aspectos elementales de la vida humana, la naturaleza, las ciencias y el uso adecuado del lenguaje. Sin embargo, casi todos nosotros atravesamos por nuestras escuelas y academias sin que nadie nos eduque nunca sobre el dinero, su creación y su administración adecuada.

El dinero, tal como aparece definido en el diccionario, es todo medio de intercambio común y generalmente aceptado por una sociedad y que es usado para el pago de bienes, servicios, y de cualquier tipo de obligaciones o deudas

La palabra "dinero" deriva del latín "*denarius*" que fue una moneda utilizada por los romanos. El advenimiento del dinero ha sido uno de los grandes avances en la historia de la humanidad, que permitió la aparición y expansión del comercio a gran escala.

Las primeras monedas que se conocen, se acuñaron en Lidia, la actual Turquía en el Siglo VII antes de Cristo. De acuerdo con el filósofo griego Herodoto, el pueblo lidio fue el primero en introducir el uso de monedas de oro y plata, y también el primero en establecer tiendas de cambio en locales permanentes. Se cree que también fueron los primeros en acuñar monedas estampadas. Algunos numismáticos remontan a esa época, la acuñación de la primera moneda que fue llamada el "*electro*", que consistía

119

en una aleación de oro y plata, con un peso de 4,76 gramos, y que se usaba para poder pagar a las tropas de un modo regulado.

Con el paso del tiempo, fue necesaria una evolución del dinero. Fue así como los estados comenzaron a emitir billetes y monedas que daban derecho a su portador a intercambiarlos por oro o plata de las reservas del país.

A través de los siglos, si bien el dinero ha permitido el desarrollo de los pueblos mediante el comercio, también ha sido motivo de discordias, enfrentamientos y hasta guerras.

Todo el mundo sabe lo que es el dinero y para qué sirve pero son pocos los que han alcanzado la sabiduría que les ha permitido desarrollar una relación sana con él.

Según un sabio proverbio chino, "*el dinero puede comprar un reloj, pero no el tiempo; el dinero puede comprar una cama pero no el sueño; el dinero puede comprar un libro, pero no el conocimiento; el dinero puede pagar por un médico, pero no compra la salud; el dinero puede comprar adulación, pero no respeto; el dinero puede comprar la sangre, pero no la vida; el dinero puede comprar sexo, pero no el amor*".

El gran científico y político estadounidense Benjamín Franklin, una vez dijo que "*de aquel que opina que el dinero puede hacerlo todo, cabe sospechar con fundamento, que será capaz de hacer cualquier cosa por dinero*". Sin embargo, una de las frases más sabias que se han escrito jamás, pertenece al estadista inglés Benjamin Disraeli, quien dijo que "*el dinero es como el estiércol, porque no es bueno a no ser que se esparza*".

El dinero es codiciado por muchos y odiado por algunos. Tal vez, las ideas preconcebidas que escuchamos desde niños en nuestras familias, hacen que nos formemos un estado mental erróneo sobre la importancia, necesidad y utilidad del dinero. Esa relación antagonística con el dinero termina influyendo nuestra existencia, de tal manera, que puede determinar nuestra propia situación financiera, a lo largo de la vida.

Recuerdo que cuando era niño, mis tías me mandaban a lavar las manos cada vez que tocaba dinero. Todavía hoy lo siguen haciendo cuando les cambio en el banco sus cheques de jubilación. Es que la mayoría de las personas tienen pensamientos negativos sobre el dinero y esos pensamientos dificultan que vivamos en la abundancia.

Algunos estudiosos han identificado, por lo menos, siete conceptos negativos sobre el dinero:

1) El dinero es sucio;

2) El dinero se acaba, si se gasta;

3) El dinero corrompe el espíritu;

4) El dinero cuesta ganarlo;

5) El dinero lo compra todo;

6) El dinero no da la felicidad;

7) Sin el dinero, no soy nadie.

Estos pensamientos condicionan nuestro cerebro a un rechazo subconsciente del dinero y hacia un estado mental de escasez.

El cerebro humano es la creación más perfecta que ha salido de la mano de Dios. Es capaz de amar y odiar, de soñar, imaginar, pensar y crear. Pero también es capaz de modificar nuestro estado emocional y hasta la fisiología de nuestro cuerpo.

Si usted se concentra y piensa en un lugar muy agradable, donde reinan la paz y la armonía y es capaz de visualizar en su mente cosas agradables, entonces su respiración, los latidos de su corazón y hasta las ondas cerebrales, serán alterados positivamente. Por el contrario, si usted imagina un escenario donde está siendo atacado violentamente por otra persona que pone su vida en peligro, su cuerpo reaccionará hacia un estado defensivo, alterando su presión arterial, su respiración, el calor de su cuerpo y hasta ciertas hormonas como la adrenalina y el cortisol en su sangre. Esos cambios fisiológicos se producirán, aunque usted sabe perfectamente que se trata de un simple experimento y no hay peligro alguno.

Y es que nuestro cerebro funciona en diferentes niveles y es capaz de condicionar, a un nivel subconsciente, la forma en que reaccionamos ante ciertos estímulos. Cuando usted ve una película en el cine donde alguien le dispara a otro con un arma de fuego, usted no se mueve de su silla ni sale corriendo de la sala. Pero si usted fuera leyendo el periódico mientras camina entretenido por la calle, y de repente alguien disparara un arma de fuego, usted se lanzaría al suelo inmediatamente o se refugiaría detrás de algún objeto, sin pensarlo. En ese caso, su cerebro ha reaccionado instantáneamente y a nivel subconsciente, para preservar su vida, de acuerdo a un estímulo pre condicionado que establece una relación de peligro extremo con el sonido del disparo. Esa relación fue establecida desde que usted comenzó a tener uso de razón y comprendió el peligro de un arma de fuego. Las balas fueron asociadas con la muerte.

De igual forma, nos alegramos si un niño pequeño se nos acerca corriendo y lo recibimos con los brazos abiertos, pero saldríamos huyendo instantáneamente si el que se acerca es un tigre que ha escapado del zoológico. Porque nuestro cerebro no necesita que pensemos qué decisión tomar ante ambos estímulos. En lo profundo de nuestra mente está almacenada la información que determina cómo reaccionaremos a los estímulos negativos, peligrosos o que nos pueden hacer daño.

La principal función de nuestra mente es proteger nuestra

vida, aun a un nivel subconsciente. Si desde niños, escuchamos una serie de frases negativas sobre el dinero, en boca de los adultos que nos forman y educan, cabe pensar que nuestra mente desencadenará una serie de "protecciones" cada vez que entremos en contacto con él, alejándolo de nosotros, en lo posible, "para que no nos perjudique ni haga daño"

Hay cientos de frases y refranes que han condicionado las mentes de millones de personas en todos los países, a lo largo de la historia. Aquí presentamos algunas de ellas:

A más oro, menos reposo.

Cuando el dinero habla, la verdad calla.

Dame dinero y perderé el Cielo.

El dinero hace malo lo bueno.

El hombre bueno siempre es pobre.

El que es perfecto no ambiciona riquezas.

En la pobreza se alcanza la sabiduría.

Hoy oro, mañana infierno.

La riqueza es la antesala del infierno.

La mejor maestra es la pobreza.

A través de las épocas, cada una de esas frases y miles otras han creado un estado de opinión, sobre todo, entre las clases pobres, que asocia el dinero con los males sociales y hasta con la pérdida de la salvación eterna. Al mismo tiempo, muchas personas pobres sienten resentimiento por las personas ricas y piensan que por tener dinero son personas malas que carecen de valores humanos.

Cuando Jesús le dijo al joven rico que para poder seguirlo tendría que vender primero toda su fortuna y regalar el dinero a los pobres, estaba en realidad poniendo a prueba su verdadera vocación de apóstol. En modo alguno se puede interpretar ese hermoso pasaje del Nuevo Testamento en el sentido que el dinero nos aleja de Jesús o de sus enseñanzas.

Otra frase bíblica muy mal interpretada es la que dice que primero pasará un camello por el hueco de una aguja antes que un rico entre al Reino de los Cielos. Un camello jamás podrá pasar por el hueco de una aguja de coser. En verdad, la frase bíblica hace mención de las entradas de ciertas edificaciones de la época que eran construidas con puertas muy bajas, para que los jinetes de ejércitos enemigos no pudieran entrar en su interior cabalgando sus camellos o caballos. La baja altura les dificultaba mucho atravesar el umbral. Para poder entrar al interior del recinto por la "aguja" o entrada, el jinete tenía que bajarse del camello o del caballo. De ahí la frase bíblica.

El sentido de "rico" en el versículo bíblico implica avaricia y egoísmo. Pero si se trata de una persona rica que continuamente hace el bien entre sus semejantes más desposeídos, para el se abrirán de par en par las puertas del Cielo.

A ciertas y determinadas personas se les han pedido grandes sacrificios para lo cual tuvieron que desprenderse de cuanto tenían en ese momento. Los hombres que acompañaron a Cristóbal Colón, los que fueron a la Luna y hasta los apóstoles que siguieron a Cristo, tuvieron de desprenderse de sus posesiones materiales en aras de un ideal superior. Pero eso no significa que todos estemos llamados a la pobreza o a renunciar a la abundancia y la prosperidad.

Las grandes obras de la Iglesia y las grandes obras sociales de nuestros tiempos modernos han sido financiadas por personas acaudaladas que han compartido su dinero con los más necesitados, facilitando programas de vacunación, educando niños en regiones remotas, llevando agua potable a donde no la había o construyendo escuelas y hospitales. Ninguna de esas obras se pudieran haber hecho si todos fuéramos pobres.

La pobreza es uno de los peores regalos que le podemos hacer a Dios, porque cuando somos pobres se nos dificulta actuar positivamente a favor de nuestros semejantes. Los grandes benefactores de la humanidad son gente rica que han dado millones de sus fortunas personales para obras sociales, como el Hospital San Judas para niños con cáncer, de Memphis, Tennessee, que fuera fundado por el actor Danny Thomas, para curar esa terrible enfermedad.

Danny Thomas pudo fundar ese magnífico hospital, solo cuando salió de la pobreza en que vivía y se hizo rico a través de su arte. Si hubiera continuado siendo una persona pobre, jamás hubiera podido desarrollar la obra que ha salvado la vida de miles de niños del mundo entero.

Bill y Melissa Gates han donado miles de millones de dólares a obras benéficas de salud pública en países pobres.

No todos los ricos se comportan de esa forma. Pero esos millonarios que han comprendido la necesidad de practicar el altruísmo con sus fortunas, son simples administradores de los bienes que Dios les ha permitido acumular. Y además de vivir una vida de ricos, no temen gastar una parte de sus bienes para cambiar las vidas de millones de personas pobres.

Cuando alguien dice que el dinero se acaba si se gasta, en realidad esta exteriorizando un miedo originado por el hambre y la miseria que vivieron sus antepasados en épocas difíciles. Se piensa que es imprescindible preservar todo el dinero y que cualquier gasto pondría en peligro la fortuna que tenemos. Esto genera un estado mental de mezquindad que a su vez reafirma la idea que el dinero *"no es bueno"*.

Por el contrario, el dinero se hizo para ser gastado, permitiéndole a su dueño la adquisición de las cosas que necesita. Si el dinero fuera agua y a cada ser humano se le ocurriera almacenar la que encuentra en su camino sin nunca gastarla, se secarían los ríos, se acabarían las lluvias y se morirían las plantas. Porque al igual que el agua debe correr y atravesar por ciclos diferentes que permiten la vida en la naturaleza, el dinero debe circular para que pueda generar la prosperidad de la sociedad.

Las contracciones económicas que los expertos llaman recesiones, comienzan cuando los consumidores dejan de consumir y guardan su dinero ante el temor que algo suceda. Entonces se va creando una parálisis "*in crescendo*" que puede llegar a detener el ciclo económico, provocando consecuencias nefastas a nivel social. El juego de monopolio se estanca y paraliza cuando los participantes dejan de comprar y vender.

¿Avanzaría un barco si el marinero se cohíbe de desplegar las velas al aire por miedo a que se rompan? ¿Y qué pasaría si el campesino decide no plantar las semillas de la próxima cosecha por miedo a que se le agoten?

La persona que no entiende el propósito del dinero, actúa condicionada por pensamientos negativos hacia él y no se atreve a gastar, ni disfruta su dinero, porque siente miedo de hacerse un regalo a sí mismo.

O quizás lo gasta en exceso en cosas superfluas como una expresión de miedo porque si no lo hace, el poder adquisitivo de su dinero se va a perder y antes que eso ocurra hay que aprovecharlo al máximo. Hay personas que piensan que no pueden tener dinero guardado o en su billetera porque terminarán gastándolo, por lo tanto compran de todo aunque no les haga falta. El escritor y conferencista T. Harv Eker, autor del libro "*Los Secretos de Una Mente Millonaria*" es de la opinión que la mayoría de nuestros fracasos en el ámbito financiero y empresarial se

126

deben a que no comprendemos los principios fundamentales del dinero.

Aprenda a ser prudente con su dinero y a entender su verdadero valor. No compre cosas por el mero hecho de acaparar. Establezca una relación de amistad y de respeto con su dinero.

Hay quienes compran varias vajillas que nunca llegan a usar, ropa que jamás se ponen, prendas que luego guardan en una caja de seguridad, herramientas que nunca emplean o libros que nunca leen. Si abrimos el armario de alguna de esas personas, veremos juegos de toallas y sábanas sin estrenar que adquirieron hace tiempo. Ese afán de acumular cosas, erosiona nuestra capacidad financiera porque dedicamos recursos y tiempo a la adquisición de bienes innecesarios.

También es importante cuidar lo que tenemos y tratar de prolongar lo más posible la vida útil de cada cosa, porque de lo contrario. nos veremos obligados a dedicar nuevos recursos financieros para reemplazar lo que se ha dañado.

Pero volvamos al análisis de las falsas creencias que la mayoría tiene sobre el verdadero propósito del dinero y su relación con el éxito y la felicidad.

Los que resienten a las personas ricas, siempre seguirán siendo pobres, porque se han formado la falsa creencia que la riqueza es sinónimo de avaricia, egoísmo, explotación, altanería, desprecio, inmoralidad o perdición.

Esa manera de pensar, forma una resistencia inconsciente a triunfar en los negocios y, como consecuencia, los negocios no rinden los frutos que pudieran rendir. Sentimos miedo o vergüenza por ganar mucho dinero o creemos que el dinero deshumaniza y que es injusto ser rico mientras hay tanta pobreza en el mundo. Y hasta hay quien puede sentir culpabilidad, lo que le hace caer en un estado de tristeza y depresión. Ese comportamiento inhibe a la persona de hacer cualquier inversión y si llega a hacerla, la hace con tal inseguridad y negativismo, que termina provocando malos resultados. Nuestra mente, simplemente nos aleja del dinero para protegernos de la infelicidad, del desprecio ajeno, la inmoralidad o la perdición.

En su libro titulado "*La Prosperidad*", el filósofo y pensador brasileño Lair Ribeiro plantea el siguiente experimento: imaginemos una tabla gigante, de cuatro pies de ancho y de cien pies de largo, colocada sobre el suelo; no tendríamos ningún temor o reparo en caminar sobre ella porque sería como caminar sobre cualquier acera común. Ahora imaginemos que la tabla ha sido colocada entre dos edificios de dos mil pies de altura. Ya no nos atrevemos a pisarla con la misma naturalidad que cuando estaba colocada sobre el suelo. Y, sin embargo, sigue teniendo las mismas dimensiones que nos inspiraron confianza y seguridad cuando estaba colocada sobre la tierra. Si no nos caímos cuando la tabla estaba sobre el suelo, ¿por qué habríamos de caernos ahora, cuando está a una gran altura?

Nuestras ideas y pensamientos negativos, almacenados desde niños, hacen que perdamos la habilidad de atravesar la distancia entre los dos edificios. Esa lucha interna, que ahora está dominada por el miedo y la incertidumbre, limita nuestra capacidad de tomar una decisión o enfrentar una situación con la misma seguridad que cuando la tabla estaba colocada sobre el suelo. En gran medida, nuestros fracasos están determinados por el estado mental con que condicionamos el inicio de cada proyecto.

Nuestra mente conspira en silencio para que fracasemos en esa nueva empresa, porque desde épocas remotas le hemos inculcado pensamientos negativos que asocian el dinero con la suciedad y la corrupción. Nuestro instinto natural de preservación tratará de alejarnos del dinero para que no nos haga daño. Por eso es preciso que reprogramemos nuestros pensamientos y establezcamos una nueva relación hacia el dinero.

Cuando nos enamoramos de alguien, queremos estar en todo momento junto a esa persona, para conversar, sentir sus caricias y disfrutar su presencia. Nadie establece una nueva relación para luego esconderse y rechazar todo contacto.

Con el dinero ocurre igual. Usted necesita establecer una nueva relación con él para borrar definitivamente todo vestigio negativo que pueda albergar su mente. No sienta escrúpulos en tocar el dinero. El dinero no es más sucio que el pasamanos de una escalera o la cerradura de la puerta de un edificio público.

Saque algún dinero de su cuenta bancaria y colóquelo en su billetera, preferiblemente en billetes de alta denominación para que pueda tocarlos y mirarlos frecuentemente. Una manera en que los sicólogos curan la fobia que alguien ha desarrollado hacia algún animal, es pidiéndole al paciente que toque la piel de ese animal, hasta que le pierda el miedo.

Poco a poco, sus manos y sus ojos se acostumbrarán a la presencia de esos billetes en su billetera y, eventualmente, se harán parte de su rutina cotidiana. Su mente se irá acostumbrando paulatinamente a un nuevo positivismo que irá borrando los pensamientos negativos del pasado.

Tome un pedazo de papel y escriba algunas frases positivas sobre el dinero como las que detallamos a continuación. Léalas frecuentemente, varias veces al día y por lo menos una vez antes de irse a dormir y al despertar al día siguiente.

El dinero me permite ayudar a los demás.

Yo soy rico porque trabajo en lo que me gusta.

Mientras más dinero comparta con los demás, más

dinero recibiré.

Yo sólo soy el administrador del dinero que Dios ha puesto en mis manos.

Con dinero o sin dinero, todo el mundo me ama.

Dios quiere mi felicidad por sobre todas la cosas.

El dinero me permite complacer a mi familia.

El dinero se hizo para gastarse con moderación y prudencia.

El dinero me permite una mejor calidad de vida.

Compartiré siempre parte de mi dinero con los más necesitados.

Cuanto más rico sea, más humano y generoso me sentiré.

Cuanto más humano y generoso sea, más rico me sentiré.

El dinero nunca debe ser la razón principal para hacer algo.

El dinero viene y va pero el amor de Dios es eterno.

El dinero no es un fin, sino una herramienta que nos permite llegar a un fin. El dinero no es la belleza de una gema, sino la posibilidad de adquirirla. No es la sonrisa de un niño, sino la posibilidad de poder provocarla cuando le compramos un juguete. Como veremos más adelante, de nada nos serviría el dinero si naufragáramos en una isla desierta con todo el dinero del mundo, donde no hay nada que comprar ni nadie con quien compartirlo.

Sólo si comprendemos a cabalidad lo que el dinero es y no es, podremos asegurarnos que tendremos suficiente dinero siempre para garantizar nuestra prosperidad.

Capítulo 12

SEIS MANERAS DE HACERSE RICO

Existen varias maneras por las que una persona puede alcanzar una fortuna que le permita una independencia económica absoluta y todas las satisfacciones que eso implica.

AL MARGEN DE LA LEY

Descartemos primeramente aquéllas que se desarrollan dentro de un marco de ilegalidad o sin una adhesión a la ética o la moralidad. Cualquier persona puede asaltar un banco, una joyería o un camión de transporte de dinero, pero los riesgos de perder la libertad o la vida en el intento, son altísimos.

Abundan también los casos de individuos que han logrado una gran fortuna mediante esquemas ilícitos de venta de narcóticos, juegos prohibidos, prostitución, pornografía, fraude a los programas gubernamentales, malversación de fondos públicos, etc... Si bien esas personas pueden disfrutar, por un tiempo, de las cosas buenas que el dinero proporciona, tarde o temprano, experimentarán las consecuencias de sus errores.

Bajo la ley de reciprocidad, casi la totalidad de esas personas terminarán descubiertas y pagarán un alto precio por sus actividades. Si no lo cree, espere a leer sus nombres en algún momento en la crónica policial del periódico como es el caso del multimillonario Bernard Madoff, sentenciado a 150 años de cárcel por haber estafado a miles de clientes. Al final, terminó perdiendo sus mansiones y su yate de lujo y pasará el resto de su vida en prisión.

Nada justifica el enriquecimiento mediante la violación de las leyes o de la ética. Personalmente, he sido muy afortunado en haber contado con una familia muy recta, de la que recibí, desde niño, principios muy claros sobre el buen comportamiento y las buenas costumbres. Tanto mi padre, Agustín, como mi tía, Ondina, que me crió tras la muerte de mi madre, siempre me inculcaron el valor de la honestidad y la ética, lo que me ha servido de gran provecho, tanto en las relaciones humanas como en las profesionales.

POR UN GOLPE DE SUERTE
También hay quien gana una gran suma de dinero por un golpe de suerte, adivinando los números de la lotería o desafiando la ley de probabilidades en un casino. Sin embargo, las estadísticas indican que como esas personas no están preparadas para recibir tanto dinero de un golpe, en la mayoría de los casos lo terminan malgastando y en pocos años se quedan sin nada.

Lo mismo ocurre con ciertos atletas que ganan millones por las proezas que realizan con sus cuerpos, pero luego no saben qué hacer con el dinero y acaban perdiéndolo. Los boxeadores Mike Tyson y Evander Hollyfield son dos vivos ejemplos de personas que ganaron cientos de millones de dólares y en pocos años lo perdieron todo. Ambos están en la ruina. El cantante Michael Jackson vendió, durante su vida, más de 750 millones de discos y terminó sumido en una profunda bancarrota. Son personas que han ganado dinero en grandes proporciones pero nunca pasaron de un estado de pobreza a un estado de abundancia, por lo tanto siguieron siendo pobres con dinero y terminaron regresando a sus orígenes.

Por otra parte, la probabilidad que una persona común pueda hacerse millonario ganando la lotería, como jugador de fútbol, tenis o en el boxeo, encontrando un tesoro en el fondo del mar, descubriendo la próxima mina de diamantes o recibiendo una herencia de un tío rico, es muy remota. Así que en lo adelante nos concentraremos en las cuatro maneras más efectivas, positivas y comunes que existen de hacer dinero, que son:

MEDIANTE LA INVERSION

Inversión es toda compra de acciones, papeles o instrumentos monetarios con la esperanza que lo que hemos comprado suba de precio con el paso del tiempo. Esos papeles o propiedades representan bienes de consumo que suben y bajan de precio de acuerdo a la ley de la oferta y la demanda.

El oro, la plata, el petróleo, el cobre, el aluminio, el trigo o el maíz, son algunos de los artículos respaldados por papeles que diariamente se compran y venden con la expectativa que esos productos aumenten de precio. También se venden bonos de los gobiernos que se utilizan para financiar proyectos que se construyen hoy y se pagan en el futuro.

Cuando los Florida Marlins, el equipo de baseball de Miami, necesitó un nuevo estadio, el ayuntamiento local vendió bonos por valor de 310 millones de dólares. Sin embargo, cuando la deuda se termine de pagar al cabo de cuarenta años, el costo del préstamo será de 2,400 millones de dólares. Los que invirtieron en esos papeles terminarán ganando mucho dinero.

Durante los últimos treinta años, decenas de miles de personas han podido amasar grandes fortunas mediante inversiones que hicieron en la bolsa de valores, en mercados específicos como el oro o el petróleo o a través de fondos privados. Desde 1980 se han creado en los Estados Unidos más millonarios que en los primeros 200 años de historia del país.

Los mercados de inversiones funcionan por ciclos y los inversionistas exitosos son los que pueden anticipar los factores externos que hacen que los mercados aumenten de valor por las leyes de la oferta y la demanda.

Si una situación política de tensión hace que el petróleo aumente de precio, quien pueda anticiparlo podrá invertir en el mercado energético y aprovechar el momento.

Algunas personas que se pudieron enterar de los planes de Walt Disney en el área central de la Florida, compraron tierra muy barata que luego vendieron a Walt Disney Company a un precio mucho más caro, ante la necesidad de esa empresa de disponer de los terrenos donde habrían de construir sus parques de atracciones más adelante.

Este libro no es un manual técnico de inversiones, pero si usted logra invertir en un mercado que le produzca una tasa alta de interés anual, del 8% o más, podrá duplicar su dinero dentro de algunos años. Para invertir no se requiere una especialidad universitaria, aunque si es preciso que el inversionista se informe adecuadamente de las oportunidades y los riesgos y conozca el mercado donde invierte lo más profundamente posible.

He conocido personas simples y ordinarias que lograron amasar grandes sumas de dinero cuando se dispararon las acciones tecnológicas durante la década de 1990. Simplemente tuvieron la visión y el olfato y, después de calcular los riesgos, se aventuraron a invertir parte de su capital.

Un amigo a quien llamaremos Alex, invirtió unos 15,000 dólares en acciones de una empresa de comunicaciones que apenas acababa de salir al mercado. Al cabo de cinco años, aquellas acciones que inicialmente se cotizaron en 10 dólares cada una, llegaron a valer más de $ 350 por acción. Sin embargo, tras la caída de los mercados tecnológicos, las mismas acciones bajaron a un promedio de 35 dólares por acción. El personaje de esta historia supo comprar y vender en los momentos adecuados y obtuvo cientos de miles de dólares de ganancia. Era una persona simple, sin ninguna experiencia en la bolsa de valores, pero con un sentido agudo del mercado y una intuición para saber cuándo entrar y cuándo salir.

Esa historia se repitió hasta la saciedad entre empleados, estudiantes y amas de casas que, de pronto, descubrieron las herramientas para aumentar sus riquezas en el mundo de las inversiones. Sin embargo, los que no entendieron el mercado ni se preocuparon de informarse sobre los factores externos de influencia, terminaron perdiendo sus inversiones o dejaron de ganar fuertes sumas porque no supieron aprovechar las oportunidades.

Muchos no se atrevieron a invertir porque carecían del conocimiento mínimo necesario para hacer una buena inversión y tampoco se esforzaron por adquirir ese conocimiento. Al no conocer nada sobre inversiones no pudieron jamás vencer el miedo de arriesgar parte de su capital y se privaron de obtener potenciales ganancias.

Aún en momentos de crisis, hay grandes oportunidades en los mercados de inversión porque el dinero es como una gran masa de nubes que se mueve arrastrada por factores influyentes. Como el agua en las nubes, el dinero a veces se acumula y otras veces se precipita abundantemente, pero en ocasiones se evapora.

El capital de inversión puede, en un momento, dirigirse hacia la bolsa de valores, como ocurrió en los años 90, para luego desplazarse hacia los bienes raíces como sucedió diez años más tarde. Si usted aprende a detectar anticipadamente esos factores de influencia, no habrá nada que le impida moverse en la misma dirección y colocarse debajo de las nubes para poder mojarse cuando se desate la lluvia.

Recientemente, las acciones de algunos bancos y empresas de automóviles se desplomaron en la bolsa de valores de Nueva York. De pronto cundió el pánico y el gobierno implementó un plan de acción para rescatar a los sectores afectados y evitar sus bancarrotas.

Las acciones de algunas compañías que antes se vendían por cincuenta y sesenta dólares se desplomaron en cuestión de días y llegaron a cotizarse por unos pocos centavos.

Sin embargo, hubo muchas personas que compraron miles de acciones por menos de cinco dólares cada una porque anticiparon que, tarde o temprano, el gobierno saldría al rescate de CitiGroup, Bank of América o General Motors.

Tan pronto se anunciaron las medidas gubernamentales de apoyo, las acciones de muchas de esas empresas comenzaron a subir de precio de nuevo y los que compraron cuando no valían nada, triplicaron y hasta cuadruplicaron sus ganancias.

En todo momento existen excelentes oportunidades de inversión para quien está bien informado y sopesa cuidadosamente los riesgos.

Si usted no conoce nada del complejo mundo de las inversiones, siempre podrá matricularse en algún curso universitario de corta duración donde le enseñarán los elementos fundamentales y los factores de influencia que le permitirán invertir exitosamente.

LA ADQUISICION DE BIENES RAICES es otra manera de ganar mucho dinero y aumentar el capital.

A principios de la década del 70, el mercado de bienes raíces sufrió la peor crisis desde el fin de la Segunda Guerra Mundial. Un exceso de propiedades en el mercado, hizo que los valores inmuebles cayeran y, como nada se vendía, también se paralizó la importante industria de la construcción y aumentó el desempleo.

Sin embargo, ese fue el momento en que muchos compradores entraron al mercado inmobiliario, aprovechando las oportunidades de los precios bajos.

En 1975, una casa de tres dormitorios y dos baños, en la ciudad de Miami, se podía comprar por $ 35,000.00. Sin embargo, esa misma casa habría de duplicar su valor para 1980, lo que equivale a una tasa de valorización del 20% anual. En 1985, la misma residencia costaba por encima de los $ 100,000, lo que para el comprador inicial hubiera supuesto un aumento de valor del 300% sobre el precio original de compra, diez años antes. Y si esa persona hubiera mantenido la casa hasta el 2005, la hubiera podido vender por más de medio millón de dólares o quince veces más que su inversión inicial.

Una enfermera de West Palm Beach que había sido contratada con un buen salario por un hospital del área, compró una casa en 1988 por 175,000, mediante una hipoteca a 15 años de término. Para el 2003, la señora ya había terminado de pagar la deuda hipotecaria. A finales del 2006, cuando los precios inmobiliarios en el sur de la Florida alcanzaron su nivel máximo, la residencia ya había alcanzado el estratosférico valor de $ 700,000. La enfermera decidió vender entonces a ese precio y financió el 90% de la deuda al comprador, a una tasa del 8.5% de interés anual y por un período de treinta años. La dama decidió retirarse a los 50 años de edad y ahora vive cómodamente con ingresos de más de $ 50,000 anuales, sin tener que preocuparse por el futuro.

Lo que para unos fueron grandes oportunidades, para otros menos visionarios, resultaron siendo grandes fracasos que, a su vez, serán las nuevas oportunidades de terceros.

Con la crisis que comenzó a mediados del 2008 en el sector inmobiliario en todo el mundo occidental, se han abierto también grandes oportunidades para que miles de personas adquieran propiedades por una fracción de lo que hubieran tenido que pagar algunos años antes. Es que los mercados de inversiones son cíclicos y lo que representa una pérdida para alguien, se convierte en la ganancia de otro.

En los últimos años hemos conocido personas que invirtieron unos pocos dólares en bienes raíces y lograron beneficios millonarios. Una experiencia que relataremos aquí fue la de un matrimonio amigo. Un par de años antes de casarse, el había recibido una recomendación de un amigo suyo para que comprara un apartamento en un edificio que se iba a construir cerca del rio de Miami.

La inversión inicial fue sólo de $2,600.00 por un apartamento de $130,000.00 Durante los dos años que tomó la construcción del edificio, la compañía inmobiliaria exigió depósitos adicionales hasta completar el 10% del valor total del inmueble. Cuando el edificio estuvo listo, nuestro amigo ya se había casado y junto con su esposa, obtuvo una línea de crédito para liquidar el balance adeudado a la empresa constructora.

Resultó que durante la construcción del edificio, la inmobiliaria creó una lista de espera de compradores muy interesados que nunca pudieron comprar porque ya se habían agotado todas las unidades disponibles. Como en toda inversión, siempre están los que llegan a tiempo y los que llegan tarde al baile y se quedan sin poder bailar.

Cuando el edificio estuvo terminado, algunos de los compradores originales pudieron vender sus unidades por mucho más que lo que habían pagado por ellas. Nuestros amigos vendieron la suya y obtuvieron una ganancia neta de $ 100,000 por el inmueble.

Poco tiempo después, el matrimonio visitó otra región del país durante un viaje de vacaciones. Mientras estaban en ese lugar, decidieron invertir el dinero que habían ganado, comprando otra propiedad, pero al notar el gran interés que había entre los turistas, por adquirir bienes raíces en aquella privilegiada zona, nuestros amigos decidieron entonces comprar tierra e iniciar un pequeño proyecto inmobiliario y aprovechar la demanda del mercado.

Sin ninguna experiencia en el sector de la construcción, en menos de tres años, los personajes de esta historia real lograron amasar una gran fortuna en el campo de los bienes raíces. Supieron aprovechar el momento oportuno, anticiparon la demanda, luego se rodearon de las personas adecuadas para viabilizar la obra, trabajaron incansablemente y pudieron ofrecer a sus clientes un producto de primera calidad.

Lo que comenzó por una inversión inicial de menos de $ 3,000.00 en un simple apartamento de Miami, se convirtió en apenas seis años en un capital de varios millones. Y lo más hermoso de la historia es que pudieron ganar una gran fortuna, utilizando el dinero de los demás.

El mundo de los bienes raíces siempre ha sido una excelente manera de capitalización. Si se dispone de algún dinero y se toman las debidas precauciones, el sector inmobiliario puede llegar a ser muy lucrativo. En vez de estar pegado a su televisor cada noche, siguiendo el novelón de última moda, inscríbase en algún centro vocacional o en alguna universidad del área donde podrá aprender todo lo que necesita para comenzar a invertir en el sector de los bienes raíces, cuando se presente una buena oportunidad. ¡El 2010 es un excelente momento!

Recuerde que cada crisis presenta nuevas oportunidades para que alguien, en algún lugar, se convierta en el próximo millonario. En la ciudad de Las Vegas, un joven empresario compró un apartamento que, aunque tenía una tasación de $125,000.00 dólares, estaba siendo rematado por el banco por sólo $55,000.00. El personaje de esta historia real pudo adquirir el inmueble por un poco menos del precio de lista. Inmediatamente fue a otro banco y obtuvo una hipoteca por $100,000.00, el 80% del valor de la tasación de la propiedad. Con la diferencia a su favor, el caballero pudo adquirir otros dos apartamentos, para un total de tres. Ahora él espera pacientemente a que el mercado se recupere y los apartamentos aumenten de precio, mientras que las tres hipotecas, se pagan solas con las rentas de los inquilinos que los ocupan.

Desde que el mundo es mundo, otra forma de ganar dinero es A TRAVES DE LOS NEGOCIOS.

Cuando yo era adolescente, pensaba que todo dueño de un negocio era millonario. ¡Qué lejos estaba de la verdad! La realidad es que el 90% de todos los negocios en los

Estados Unidos están operados por personas de clase media que, aunque viven bien, nunca llegarán a hacerse ricos. Muchos de esos empresarios apenas sobreviven. Sus propias actitudes y creencias les impiden desarrollar y crecer sus empresas más allá de ciertos límites.

Sin embargo, el otro 10% sí pertenece a personas que supieron convertir una idea en realidad y luego salvaron los obstáculos que fueron encontrando en el camino hasta crecer y multiplicar sus empresas para convertirlas en exitosas y lucrativas operaciones.

Un ejemplo perfecto de lo anterior, es el caso de Isidoro Vilariño y sus hermanos, quienes llegaron a Miami, como exiliados políticos cubanos, en 1980. A base de grandes esfuerzos y con un agudo sentido para los negocios, los Vilariño lograron abrir varios restaurantes en el sur de la Florida, donde hoy trabajan los demás miembros de la familia. A partir de los triunfos y del capital obtenidos en la gastronomía, Isidoro Vilariño ha incursionado en otros sectores del mundo de los negocios y hasta en el campo de los bienes raíces. Pero sus éxitos no han sido por causa de la suerte o de la casualidad. Se han debido a una combinación de los factores que detallamos en el capítulo anterior. También pudiera mencionar aquí, decenas de otros ejemplos de personas que han alcanzado una gran prosperidad a través de los negocios.

Mi amigo Moisés de Paz llegó a Estados Unidos, procedente de España, con los bolsillos vacíos y una familia que mantener. La primera decisión sabia que tomó fue la de no trabajar para nadie, a pesar que sus amigos y familiares insistían en conseguirle un empleo. Como suele ocurrir, fue muy criticado por sus más allegados. Sin embargo, su esposa Nelly estuvo a su lado en todo momento porque sabia que su esposo saldría adelante.

Moisés comenzó a vender mercadería de puerta en puerta durante la semana y en un mercado callejero los fines de semana. Colocaba una sábana sobre el suelo y allí ponía la mercancía que había comprado antes. Cuando llovía, corría a recoger sus artículos y la sábana para que no se mojaran. Aquello suponía levantarse varias horas antes de la salida del sol y trabajar duro bajo el intenso calor tropical hasta que caía el día.

Algún tiempo después logró reunir lo suficiente como para abrir su propio local. Cuando yo lo conocí, ya tenía cinco tiendas donde vendía todo tipo de uniformes escolares y de trabajo. En la actualidad, Moisés opera la mayor empresa de uniformes del Sur de la Florida con una red de doce tiendas estratégicamente localizadas. Entre sus clientes hay aerolíneas, departamentos del gobierno, escuelas públicas y privadas y cientos de empresas del área.

Todavía Moisés quiere abrir muchas tiendas más, no porque lo necesite ni por un deseo de avaricia. Pero ya que ha logrado colocar al frente de su negocio a sus hijas y a los esposos de ellas, ahora quiere ofrecer a otros jóvenes la oportunidad de ser empresarios exitosos como él. En el momento en que escribimos estas páginas, Moisés se encuentra ayudando, como mentor, a un número de jóvenes empresarios para que se unan a su empresa de uniformes como operadores de franquicias sin tener que aportar ningún capital inicial. Mi amigo Moisés de Paz puede decir que ha logrado la plenitud de su vida. Su mayor tesoro es su familia y su mayor pasión es su negocio de uniformes.

También existen otros METODOS ALTERNATIVOS por los que una persona puede acumular una gran fortuna.

Las ventas o mercadeo de niveles múltiples han producido más millonarios en los Estados Unidos que ninguna otra industria. El multinivel es muy simple. Una persona decide consumir algún producto o servicio y convence a un pequeño grupo de amigos y allegados a hacer lo mismo, al tiempo que recibe pequeñas comisiones por el consumo de los demás. Poco a poco, se va creando una red de representantes que a su vez son consumidores y donde todos van recibiendo una porción de las ganancias de la empresa.

Hace algún tiempo, pude visitar las modernas oficinas de un antiguo conocido con el que compartí algunos días de trabajo cuando ambos asistimos a una convención de una empresa multinivel en la ciudad de Dallas en 1998. Después de varios años de no saber de él, volvimos a reencontrarnos y me invitó a que lo visitara. Al llegar a su oficina, me mostró un flamante Hummer color blanco que la empresa que él representaba le había regalado días antes por su trabajo.

Luego pasamos a su oficina y me contó lo que había hecho desde la última vez que nos vimos. En un auto bastante viejo, emprendió un viaje a lo largo de la costa atlántica de los Estados Unidos. Se hospedaba moteles baratos para economizar y a todo el que encontró a su paso le mostró cómo era posible ganar mucho dinero a través del mercadeo multinivel, aun sin tener un capital inicial.

Cuando regresó a Miami varias semanas después, ya había enrolado en su organización a decenas de personas muy motivadas por ganar dinero, que a su vez enrolaron a otros asociados con el mismo fin. Durante mi visita, aquel joven ejecutivo me mostró un cheque por $ 83,000.00 que había recibido como pago de las comisiones de su red de mercadeo… *por un sólo mes de trabajo.*

Su éxito se debió a su visión y su perseverancia. Descubrió una empresa que mercadeaba un artículo muy útil, deseado por la gente y un método simple para ganar dinero. Sin pensarlo mucho, aquel joven decidió que podía ofrecerlo a un número de clientes y ganar dinero a cambio y luego enseñó a cientos de otras personas a hacer lo mismo, llegando a crear una vasta red de mercadeo multinivel. La última vez que lo ví, su red multinivel tenía más de 8,000 representantes.

Desde que la internet se convirtió en un instrumento de la vida cotidiana, miles de personas han descubierto innovadoras maneras de hacer dinero a través de ese poderoso medio de comunicación.

Por medio de la internet se venden antigüedades de segunda mano, carteras de diseñadores de las que sus dueños originales ya se aburrieron, peces tropicales vivos y hasta suplementos nutricionales. Uno de los casos más admirables es el del sitio de subastas *eBay*, digno de estudio en cualquier universidad. Otro ejemplo de cómo se pueden hacer millones por la internet es el sistema de ventas de *Amazon.com*, un foro que comenzó vendiendo libros pero que en la actualidad ofrece decenas de otros artículos a millones de clientes en el mundo entero.

Una de las frases que más se escuchan en boca de personas pobres, es que ya todo está inventado. Si eso fuera cierto, la internet no hubiera pasado de ser una gran biblioteca interactiva. Sin embargo, miles de personas han utilizado la internet para amasar grandes riquezas, durante los últimos quince años. Todavía hay una infinidad de maneras que pueden ser aprovechadas para que cualquier persona, sin un gran capital, gane mucho dinero a través de la internet.

Cuando era jefa de contabilidad de una empresa de telefonía en República Dominicana, su país natal, mi esposa solía trabajar más de cincuenta horas cada semana y en muchas ocasiones tenía que ir a la oficina los sábados y domingos. Hoy en día, ella trabaja desde la comodidad de nuestra casa, a través de la internet. Su dedicación al trabajo es apenas una fracción del tiempo que dedicaba antes y los ingresos son mucho más lucrativos. Esa flexibilidad le permite administrar el tiempo como mejor le parezca y no tiene que pedirle permiso a un jefe para irse de vacaciones. Además, hasta lo puede hacer sin tener que maquillarse porque nadie la ve.

Y por cierto, ella y yo nos conocimos gracias a la internet, que no sólo sirve para hacer dinero, sino para empatar personas también, habiéndose convertido en el mayor foro social en todo el planeta.

Si usted mira a un mapa del mundo, es mucho más grande el terreno que queda por conquistar que el que ha sido conquistado. Con el mundo de los negocios ocurre igual. Todavía hay muchísimas cosas que no se han inventado porque no se le ha ocurrido a nadie.

En 1978, cuando yo tenía diecinueve años regresé a Madrid, ciudad donde había vivido años atrás. Un amigo que me recogió en su auto en mi hotel, se ofreció llevarme a una reunión de trabajo en una casa discográfica. Al llegar, estacionamos el vehículo a la orilla de la acera y ví con asombro cómo le colocaba una barra de metal que impedía que el auto fuera robado, pues inmovilizaba el volante o timón, atándolo al pedal del acelerador.

Aquel bastón anti robos me llamó mucho la atención porque nunca lo había visto antes y en Miami, donde yo

145

vivía en esa época, los robos de autos eran muy frecuentes. Recuerdo que antes de abandonar Madrid compre dos bastones, uno para mi uso personal y otro para mostrárselo a alguien que pudiera fabricarlo masivamente pues tenía la seguridad que sería un excelente negocio.

Con el paso de los días me fui complicando en mis rutinas cotidianas de la radio y la idea de fabricar y vender aquel artefacto se fue apagando. Dos años después, cual no sería mi sorpresa y disgusto cuando vi por la televisión nacional una campaña publicitaria donde una empresa ofrecía el mismo bastón por $ 19.99, en dinero de 1980. Lo habían rebautizado con el nombre de *Le Club* y terminaron vendiendo más de 15 millones de unidades en todos los Estados Unidos. Yo tuve la oportunidad en mis manos, pero no supe aprovecharla. Sólo se monta al tren el que llega a tiempo a la estación y sabe a dónde quiere llegar.

Un día, en Nueva York, la dueña de un apartamento amonestó a uno de sus inquilinos porque tenía un perrito pequeño como mascota dentro del inmueble, cosa que no era permitido por ella. El joven se vio obligado a regalar el animalito pero lo sustituyó por una piedra pulida que había recogido a la orilla de un rio. Para romper su soledad, pintó un par de ojos sobre la piedra y le pegó algunas pelusas pintadas para simular el pelo. Todos los que visitaban su apartamento se encantaban con la nueva mascota artificial. Así nació el *Pet Rock* que no era más que una piedra con ojos pintados y cabello plástico. Aunque era toda una absurdidad, lo absurdo del invento también era su mayor atracción. Hasta que una cadena de tiendas comenzó a venderlas. *M*ás de 5 millones de norteamericanos compraron sus piedras, les pusieron nombres y las trataron como si fueran perros, gatos, pájaros o tortugas en lugares donde no podían tener mascotas de verdad.

En vez de enfocarse en la contrariedad de haber tenido que regalar su perrito porque no era permitido tenerlo en el apartamento, aquel joven aprovechó el momento para inventar un juguete que lo convirtió en millonario de la noche a la mañana.

Todavía queda mucho océano por explorar en el mundo de los negocios. Al doblar de la esquina pudiera aguardar esa idea que no se le ha ocurrido todavía a nadie. Es posible que el universo la tenga reservada para usted.

Pero volviendo al fascinante mundo de la internet que ha revolucionado nuestras vidas, no pierda la oportunidad de convertir ese poderoso medio informático en una herramienta de prosperidad. Aprenda a usarlo detalladamente porque cada día se convertirá más y más en un elemento fundamental de nuestra vida.

En los próximos años, un mayor número de bienes de consumo y servicios serán adquiridos a través de la internet. Ya están desapareciendo las guías telefónicas tradicionales y están siendo sustituidas por archivos electrónicos. De esa forma, usted puede consultar la guía telefónica de Buenos Aires sin salir de Nueva York. En un futuro no muy lejano, muchos negocios cerrarán las puertas de sus locales y pasarán a ser un portal informático a través de la internet. Ya hoy en día se venden más discos a través de la internet que en las tiendas de las ciudades.

No se quede dormido en los laureles. Le recomiendo que se matricule en algún curso donde aprenda a manejar la red y, de paso, a diseñar sus propias páginas. Pudiera ser el trampolín que lo catapulte a una nueva dimensión de prosperidad, porque cuando se le ocurra esa idea brillante que el universo tiene reservada para usted, necesitará hacerla llegar a millones de personas.

Capítulo 13

EL DIEZMO

A lo largo de este capítulo hemos insertado versículos de la Biblia que demuestran que en las Sagradas Escrituras se trata este tema con meridiana claridad. Los que no son cristianos o no creen en la existencia de Dios, pueden pasar al próximo capítulo y continuar la lectura de esta obra.

En el universo nada es estático. El aire y el agua fluyen constantemente para completar sus propósitos respectivos. Si el agua se estanca, se pudre, más si se mantiene fluyendo continuamente por sus tres estados, sólido, líquido y gaseoso, se completa el ciclo de la vida.

El dinero es igual, debe fluir para que puedan existir la abundancia y la prosperidad. De la misma forma que si impedimos el flujo de la energía a nuestro alrededor afectaríamos el equilibrio de la naturaleza, si acaparamos el dinero y no lo compartimos, impedimos su libre circulación y por lo tanto, al interrumpir su flujo natural, como no lo damos tampoco lo recibimos.

El que da al pobre nada le faltará; el que prefiere no verlo conseguirá maldiciones. **Prov. 28:27**

Mientras más compartimos nuestras posesiones, en especial el dinero, mas recibimos porque mantenemos en movimiento la abundancia de la vida. Existe una ley inexorable, ampliamente mencionada en el Antiguo y Nuevo Testamentos, que establece que todo lo que tiene un valor en la vida, crece y se multiplica cuando se comparte libremente.

Uno reparte abundantemente y se enriquece; otro economiza y se empobrece. **Prov. 11:24**

Plantea el escritor Deepak Chopra que si deseamos recibir amor en abundancia, es preciso dar amor, si queremos recibir alegría tenemos primero que ofrecer nuestra alegría a los demás y si deseamos recibir dinero tenemos que aprender a compartir el que tenemos.

Y entonces Jacob dijo, de todo lo que me des yo te devolveré la decima parte. Gen 28:22

No hacemos nada con guardar y acaparar nuestras riquezas si nos cohibimos de adquirir las cosas que nos hacen felices y de compartirlas con los demás. Si usted aprende a tocar el piano encontrará más placer en tocar para que lo escuchen los demás que en tocar para usted solo. Si usted es un chef de la alta cocina hallará más satisfacción en preparar un manjar para un grupo de amigos que si se lo come usted mismo en solitario. Con el dinero ocurre igual. Aunque no se haya dado cuenta todavía, hay una mayor satisfacción cuando se comparte que cuando se acapara.

Porque, además, cuando se comparte, el dinero se multiplica y crece mientras que cuando se guarda se limita y disminuye.

*Y Abraham le dió la decima parte de todo lo que llevaba. Gen.*14:20

¿Si yo le garantizara una inversión mediante la cual usted recibirá el 10% de todo lo que comparta con los demás, aceptaría? ¿Y si la garantía fuera del 200%? Imagino que aceptaría en un instante. Sin embargo, Dios nos promete "*el ciento por uno*" y lo ignoramos. Eso equivale a recibir 100 veces más de lo que damos a nuestros semejantes.

La Biblia menciona, en más de 2,300 ocasiones, asuntos de dinero que tienen que ver con la riqueza, la generosidad, los préstamos, las deudas, las inversiones, la planificación financiera, los negocios, las herencias, los impuestos, las compras y las posesiones materiales.

Cada año separarás el diezmo de todo lo que has sembrado, de tu trigo, de tu aceite, de tu vino y de tu ganado. Deut. 14:22

En este capítulo deseamos presentar ciertos principios, prácticos y recursos que pueden ayudarlo hacia una mayor prosperidad por medio de la espiritualidad.

Una de las mayores verdades espirituales que tenemos que aceptar es que Dios, es el creador y dueño de todo cuanto tenemos o llegamos a tener. Nosotros no somos más que administradores de nuestros bienes, porque nacemos sin ellos y los dejamos atrás en el momento de nuestra muerte. Sólo somos poseedores temporales de nuestras posesiones, incluyendo el dinero. Veamos si lo podemos explicar mejor.

Supongamos que ganamos algún dinero en los negocios o ahorrando parte de nuestro salario y al cabo de cierto tiempo decidimos comprar un terreno por donde atraviesa un río que desemboca en el mar. El terreno incluye una hermosa playa de arenas blancas. El mapa catastral del terreno reflejará el paso del rio y también incluirá la playa. Y el título de propiedad establecerá exactamente los límites del terreno y nos dará posesión y uso del mismo.

Por lo tanto, ante la ley, somos los nuevos dueños de un valioso terreno que tiene un río y una playa. Pero hace cien, mil o diez mil años, ¿quien era el dueño de ese terreno? ¿A quién le pertenecían esos bienes cuando no se habían inventado aun las medidas de agrimensura, los catastros o los registros de propiedad, cuando el mundo estaba casi despoblado, hace miles de años? La respuesta es: simplemente, a Dios. El dueño actual es el dueño ante la ley hoy día y podrá usar la tierra hasta para edificar una casa allí; pero será impotente ante una situación natural que altere el curso del río por una inundación o que provoque una marejada oceánica que penetre tierra adentro por la playa. Dios es el único y verdadero dueño de todas las cosas. Y cuando pasen cien años, o mil, otra persona será la dueña del mismo terreno en ese entonces y disfrutará de su uso y beneficio, sin tan siquiera saber quién era usted. Nosotros podremos ser los dueños "titulares" de una serie de bienes o posesiones, pero Dios es el dueño absoluto e inmutable de todas las cosas.

Como rector absoluto de todo el Universo, Dios también ha establecido una serie de leyes o principios universales que rigen el comportamiento humano, aunque el hombre a veces no quiera aceptarlos.

Una de esas leyes es la *ley del diezmo* o el principio que establece que debemos dar una parte de lo que ganamos a los más necesitados. A cambio, Dios promete premiarnos con una mayor abundancia, para que todas nuestras dádivas aumenten aún más.

> *El que es generoso será saciado, el que riega será regado.* **Prov. 11:25**

Por más de dos mil años, las promesas bíblicas se han cumplido al pie de la letra, sin que hasta ahora nadie haya podido demostrar que, tan sólo una de ellas, haya sido falsa. Por lo tanto, si Dios lo ha prometido, podemos contar ciegamente con que se cumplirá.

Para obtener los mayores beneficios de la ley del diezmo, ante todo es preciso *dar primero a Dios.* A Dios no le gusta que lo coloquen en un segundo plano porque es un poco celoso, por lo tanto es importante que separemos la parte que vamos a donar antes que distribuyamos el resto del dinero. Cuando usted cobre el próximo cheque, recuerde separar primero la parte que le corresponde a Dios y dónela a su obra de caridad preferida.

En segundo lugar, es preciso *dar voluntaria y libremente*, sin ninguna coacción ni sentimiento de egoísmo. A veces hay quienes hacen una donación sólo porque se sienten presionados por lo que dirán los demás si no donan. Esa es una actitud equivocada porque como la donación no es sincera, se pierde el efecto de la misma. Aprenda a sentir placer, alegría y satisfacción cuando comparta sus tesoros con los demás. Sólo en eso, ya hay una gran remuneración.

El hombre compasivo será bendito porque supo compartir su pan con el pobre. Prov. 22:9

También es muy importante *que el hábito de dar sea constante*. De nada vale hacer una donación sólo una vez y luego regresar a un comportamiento egoísta. Si comemos y nos aseamos todos los días, también el diezmo es algo que debemos hacer rutinariamente para poder obtener el máximo beneficio.

Sea paciente con Dios y no le ponga condiciones. El cumplirá su promesa en el momento y forma en que usted menos lo espere. También conviene acompañar cada donación con un pensamiento positivo hacia la persona o personas que la van a recibir. Podría ser una oración o plegaria de agradecimiento por lo mucho que tenemos y una petición para que quien reciba nuestra ofrenda pueda ponerla a buen uso. Trate de visualizar en su mente la alegría que sentirá la persona que recibe su donación o el beneficio que se producirá, si acaso lo ha hecho a una institución benéfica.

Al acompañar nuestras ofrendas con pensamientos positivos y altruistas estamos reforzando, en lo profundo de nuestra mente, la alegría y satisfacción que sentimos cuando compartimos lo que tenemos con los demás. Al mismo tiempo, nos abrimos para recibir la promesa de Dios en el momento y forma que El estime oportunos.

Sin darnos cuenta, estaremos activando a nuestro alrededor una poderosa y dinámica fuerza. Con nuestra donación, la ley del diezmo o principio de dar y recibir se habrá puesto en movimiento y por lo tanto, estaremos penetrando, poco a poco, en una dimensión de abundancia y prosperidad.

Capítulo 14

LA PROSPERIDAD

El diccionario define la palabra prosperidad como el *"curso favorable de las cosas"* o *"la buena suerte o el éxito en lo que se emprende, sucede u ocurre"*

Sin embargo, el concepto de prosperidad, más allá del significado literal de ese vocablo, es lo que realmente nos interesa. La mayoría de la gente confunde prosperidad con dinero y eso es un gran error.

La verdadera prosperidad es abundancia plena y es un estado mental, más que una acumulación de bienes.

Cuenta una leyenda, que un hombre muy mezquino se pasó la vida ahorrando hasta el último centavo que ganó. Jamás dio una limosna a un pobre ni compartió su dinero con los demás. Como vivía cohibido de casi todo para seguir ahorrando, llegó a acumular una gran fortuna a expensas de vivir como el más pobre.

Un día, decidió alejarse de su familia y amigos, por temor a que le fueran a pedir prestado parte de lo que había acumulado. El hombre compró un boleto en un barco y partió hacia una tierra lejana donde nadie lo conocía. Llevaba su fortuna escondida en el doble fondo de un baúl de cuero que había llenado de trozos de madera para despistar a los ladrones. Una noche, mientras el barco navegaba en medio del océano, se presentó de repente una fuerte tormenta y el barco naufragó. En medio de la impenetrable oscuridad, el hombre sólo atinó a aferrarse a su baúl que flotaba por la madera que había en su interior.

Al llegar la mañana, la corriente lo había arrastrado hacia una isla completamente desierta, donde no había ni agua, ni comida, ni vegetación alguna. El náufrago permaneció dos días esperando a que alguien viniera en su auxilio, pero fue en vano. Al tercer día, cuando ya el hambre y la sed lo habían llevado al borde de la muerte, el sujeto vió un barco que pasaba a lo lejos. Trató de llamar la atención o

153

enviar alguna señal para que notaran su presencia. Pero sus únicas pertenencias eran su baúl lleno de dinero y un encendedor que llevaba en un bolsillo cuando el barco se hundió.

Entonces, con lagrimas en los ojos, no tuvo más remedio que prender fuego a los billetes que había acumulado durante toda su vida y que poco a poco, se habían secado, bajo el intenso sol. El contenido del baúl comenzó a arder rápidamente hasta que una gigantesca hoguera consumió hasta el último billete. Sin embargo, la humareda que se levanto hacia el cielo y fue arrastrada por el viento, fue vista por los marineros del barco, que, sorprendidos, dirigieron proa hacia la isla y pudieron salvar al náufrago de una muerte segura e inminente.

Esta fábula o leyenda establece claramente la diferencia entre prosperidad y dinero. El hombre de la historia fue un hombre mezquino y miserable desde sus orígenes y que aunque logró amasar una gran fortuna y hacerse rico, nunca abandonó su mezquindad. Por eso terminó sus días tal como había comenzado, de nuevo sumido en la pobreza que nunca aprendió a sobrepasar.

Casi todos pensamos que ser prósperos significa tener mucho dinero, pero ¿cuánto es *"mucho"*? Algunas personas tienen una idea clara de la cantidad necesaria para sentirse prósperas. Hay quienes quisieran ganar el doble de lo que ganan para sentirse prósperos. Para otros, ser próspero es ser millonario. Y hay quienes piensan que ganar la lotería los convertiría en personas prósperas.

Otros definen la prosperidad de una forma menos específica, y opinan que la prosperidad equivale a tener dinero suficiente para garantizar su seguridad en el futuro.

Pero, en verdad, la persona próspera no tiene que preocuparse por el dinero ni por el futuro. Como dijimos al principio, la prosperidad es un estado mental que nos da la libertad para ser, hacer y tener lo que deseamos sin limitaciones importantes. ¿Acaso se levanta usted preocupado por encontrar el oxígeno que necesita para respirar? Pues claro que no, porque el oxígeno abunda a su alrededor.

El dinero abunda a nuestro alrededor, sólo tenemos que saber cómo atraerlo hacia nosotros. Y en la mayoría de los casos, eso no ocurre porque le hemos cerrado las puertas desde nuestra niñez.

Casi todos suspiramos por esa liberación de las preocupaciones y angustias económicas que proporciona el dinero. Suponemos que si consiguiéramos ganar, heredar, encontrar u obtener suficiente dinero para ser prósperos, nuestras preocupaciones económicas se esfumarían y el dinero probablemente resolvería también problemas de otra índole. Pero no lo crean, porque para muchos, con la llegada del dinero aumentan también las preocupaciones económicas. Porque no es el dinero lo que importa sino el estado mental de la prosperidad.

La triste realidad es que la mayoría de nosotros jamás experimentará una verdadera sensación de prosperidad por mucho dinero que ganemos o poseamos porque somos nosotros mismos los que la bloqueamos. Y con la llegada de más dinero a nuestras manos, también llegarán nuevos problemas y complicaciones que antes no teníamos.
Es fácil comprender que alguien no se sienta próspero si dispone de muy poco dinero y tiene que hacer grandes esfuerzos y sacrificios para satisfacer sus necesidades básicas.

También es fácil entender que una persona no se sienta próspera si tiene unos ingresos medios o limitados, pero al mismo tiempo enfrenta muchas responsabilidades

155

económicas que lo agobian y atormentan.

Pero existen individuos que ganan sumas considerables de dinero y no se sienten prósperos. Por alguna razón, cuando nuestros ingresos aumentan, también aumentan proporcionalmente las responsabilidades, nuestros gastos, y las complicaciones de nuestra vida ordinaria.

En 1993, mi salario en una estación local de radio era de $40,000.00 anuales, más algún ingreso adicional que obtenía trabajando como locutor comercial. Dos años después, llegué a ganar $185,000.00 anuales tras firmar un importante contrato. Sin embargo, mi vida no fue más feliz ni pude llegar a sentirme una persona próspera cuando mi salario se cuadruplicó. Sólo porque la prosperidad no era parte de mi estado mental en aquel entonces.

Cuando no poseemos un concepto claro del verdadero valor del dinero, ni una actitud positiva hacia la prosperidad, el dinero desaparece con tanta rapidez como aparece y tenemos dificultades para administrarlo. La posesión de grandes sumas de dinero, a menudo, va acompañada de incertidumbre y ansiedad si la persona no está preparada para ello.

La mayoría de las personas pobres que ganan una fuerte suma de dinero en la lotería, enfrentan una serie de nuevos problemas que ponen en peligro su estabilidad mental y emocional. Y si no buscan ayuda profesional, pueden terminar perdiéndolo todo, porque aunque ahora tienen dinero, no han aprendido a ser prósperos.

La prosperidad trasciende la esfera del dinero porque tiene mucho que ver con el ámbito divino y espiritual. Si miramos en derredor, el universo se desborda en prosperidad. Los granos de arena de las playas, los peces del mar, los pájaros, las flores, los insectos, son verdaderos ejemplos de abundancia. Las nubes, las estrellas, los ríos, las montañas, se cuentan por millones.

Cuando Dios creó el universo visible, lo pobló con millones de especies de vida animal y vegetal. Y de cada una de esas especies existen, a su vez, millones de ejemplares a nuestro alrededor.

Aún hoy, los científicos del mundo continúan descubriendo nuevas especies de plantas y animales que no se habían descubierto nunca antes. No importa si usted saca del mar un vaso de agua o todo un acueducto, el nivel del océano no cambiará.

Más allá de cuánto dinero llegamos a acumular en la vida, la prosperidad es la experiencia de tener mucho de lo que verdaderamente necesitamos y queremos, tanto en el plano material como en otros niveles. La prosperidad es un estado mental, no un estado financiero.

Si usted naufraga en una isla desierta y descubre que allí fue depositada una gran fortuna en monedas de oro, usted se convertiría en una persona rica en un instante. ¿Pero acaso sería una persona próspera si no tiene en dónde, ni en qué, ni con quién gastar su nueva fortuna? Ni siquiera podría comprar un barco para abandonar la isla.

Lo importante es comprender que la prosperidad es una experiencia interior, no un estado externo, y que esa experiencia no está ligada al hecho de poseer una suma de dinero determinada. Aunque la prosperidad está relacionada con el dinero, no es causada por el dinero.

Si bien el dinero puede contribuir, nunca puede garantizar la experiencia de prosperidad. Sin embargo, es posible sentirse próspero en prácticamente cualquier nivel económico, excepto cuando somos incapaces de satisfacer nuestras necesidades básicas.

El padre Antoine Lootens, un sacerdote belga que ha vivido como misionero en varios países de la América Latina, hace algunos años fundó una comunidad religiosa en Colombia. En el terreno que una familia rica le donó, el sacerdote y los miembros de su grupo siembran las cosechas de las que luego comen y comparten con los pobladores de la región. El padre Lootens no recibe sueldo alguno ni posee dinero acumulado en un banco, pero cuando sus sembrados dan frutos y su comunidad es feliz por la abundancia de la tierra, se convierte en una persona próspera que comparte esa prosperidad con los demás. Al hacerlo encuentra la felicidad y se acerca a la plenitud de su vida.

Hay tres puntos de vista comunes sobre el dinero y la prosperidad: el *punto de vista materialista, el religioso y el espiritual*. Sin embargo, no se debe confundir el punto de vista religioso con el espiritual.

Los que viven desde una perspectiva materialista, creen que el mundo físico o material, es lo real e importante, y que nuestra satisfacción y plenitud provienen de aquello que nos rodea. Para ellos, el objetivo es completamente externo. El dinero es la clave para obtener lo que desean del ámbito físico. Para alcanzar el éxito y la felicidad, los que se suscriben a esta filosofía materialista tratan de amasar una fortuna que les permita tener las cosas que quieren e influir en el mundo de la manera deseada.

Por otra parte, la tradición religiosa occidental nos dice que el mundo material es esencialmente un lugar de tentación, pecado y sufrimiento, por el cual tenemos que pasar para llegar a un lugar mucho mejor: el paraíso o reino de los cielos, después de la muerte donde las posesiones materiales no importan.

Sin embargo, la tradición religiosa oriental nos enseña que el mundo material es sólo un espejismo. La meta es "despertar" e ir más allá de la forma física. En ambos casos, el reino físico se concibe como una prisión, una limitación, algo que hay que trascender. El cristianismo lo describe como el Cielo y el budismo, como el Nirvana.

Muchos de los que consagran su vida al espíritu mantienen este punto de vista y renuncian al mundo con el fin de superar su apego a la materia; en particular, renuncian al dinero y a las posesiones terrenales.

Tanto en Oriente como en Occidente, algunos de los devotos religiosos hacen votos de pobreza y renuncian a todas sus posesiones, excepto a las más elementales. Confían en que Dios proveerá a través de las personas a las que ellos sirven, y en muchos casos, así termina sucediendo por el poder de su fe.

Según esta filosofía, la plenitud proviene de lo alto. La prosperidad es, pues, la riqueza y la profundidad de una serie de experiencias de carácter espiritual.

Desde el punto de vista materialista, la estrategia para crear prosperidad es "tener más". Cuanto más poseas, más feliz serás. Según la perspectiva religiosa, la estrategia para alcanzar la prosperidad es "necesitar menos, porque mientras menos se necesite, más feliz se es.

Por último, se encuentran los que creen en la prosperidad espiritual, quienes opinan que existe otra filosofía, muy extendida últimamente por el mundo.

Según este punto de vista, el mundo exterior es un reflejo del mundo interior y el ámbito físico es un espejo de nuestra conciencia. Nuestra vida refleja nuestros pensamientos y si comenzamos a asumir la responsabilidad de cambiar nuestros pensamientos, nuestra experiencia de la realidad también cambiará.

Esta manera de pensar, parte de la base que, todo lo creado, primero fue un pensamiento, más tarde una idea que luego pasó a ser un proyecto y finalmente se convirtió en realidad.

Según esta teoría, vivimos en un universo espiritual de infinita abundancia. Sólo estamos limitados por nuestros pensamientos y creencias sobre la realidad. El dinero es un reflejo de nuestra conciencia, y nosotros mismos creamos nuestra experiencia con la riqueza.

Cualquier problema que tengamos con respecto al dinero o a la prosperidad es un reflejo de nuestros pensamientos negativos, de nuestras creencias y limitaciones y de nuestros malos hábitos de consumo y administración o de nuestro egoísmo. Tendremos una riqueza ilimitada a nuestra disposición si estamos dispuestos a cambiar nuestra forma de pensar, a reprogramar nuestra mente.

Esta perspectiva pretende tender un puente entre el interior y el exterior. La estrategia para crear la prosperidad es modificar la manera de pensar y abrirse a la infinita abundancia del Espíritu.

Sin embargo, cada uno de los tres puntos de vista que hemos analizado brevemente tiene sus propias limitaciones y algunos elementos de verdad para alcanzar nuestra verdad personal, que será la única que nos permita conocer la verdadera prosperidad.

El punto de vista materialista puede ayudarnos a desarrollar habilidades que necesitamos para sobrevivir y triunfar en el mundo físico. Nos enseña a satisfacer las necesidades de la familia y la comunidad a través del esfuerzo, el trabajo y la superación personal. Esta perspectiva nos enseña a sentirnos cómodos con nuestra capacidad para influir en el mundo que nos rodea y a respetar y honrar el plano físico de la existencia.

El problema de esta filosofía es que se centra exclusivamente en lo exterior. Esta forma de pensar limita nuestra prosperidad a nuestro propio esfuerzo que, a su vez, está limitado por el medio ambiente donde nos desenvolvemos y los recursos de que podemos disponer para desarrollar nuestras habilidades.

No puede llegar a ser próspero, por su propio esfuerzo, alguien que está obligado a vivir en una sociedad totalitaria que inhibe la prosperidad. Los que viven en un sistema comunista o socialista, por ejemplo, jamás podrán alcanzar la prosperidad material por su propio esfuerzo; porque el sistema de gobierno paternalista y totalitario, que todo lo controla, no permite la condición necesaria de abundancia y libertad para que se logre la prosperidad. En esos regímenes, el aspecto creativo del ser humano, que es fundamental para que exista la prosperidad, es coartado por el sistema de gobierno

También, la forma materialista de pensar niega la importancia de los planos interiores y nuestras necesidades espirituales, intelectuales y afectivas. Cuando tenemos ese punto de vista, buscamos plenitud sólo en el ámbito de lo material, y eso nunca es suficiente.

A la larga, esa filosofía conduce a un sentimiento de vacío, desencanto y frustración; porque por muchos bienes que hayamos acumulado, nuestras necesidades interiores permanecerán insatisfechas.

El punto de vista religioso ofrece una vía de escape de la trampa materialista. Reconoce nuestra profunda necesidad de sentirnos conectados con algo más grande, sublime y superior a nuestra existencia física individual. Nos ayuda a explorar y a descubrir un significado, un propósito y una plenitud más profundas, lo que contribuye a superar la obsesión por el plano material. En muchas sociedades totalitarias, mientras más escasean los bienes materiales, más crece la fe religiosa como medida de satisfacer las necesidades inherentes del ser humano.

Sin embargo, en una sociedad libre, el punto de vista religioso sobre la prosperidad tampoco satisface por completo las necesidades del ser humano. Por desgracia, al caer en el extremo opuesto al punto de vista materialista, se crea otra trampa. Se niega la importancia de las facetas física y emocional de nuestro ser, que constituyen una parte importante de lo que somos.

Como seres espirituales, venimos al mundo porque aquí debemos experimentar algo muy importante y significativo. Si negamos nuestras necesidades físicas y emocionales, creamos un terrible conflicto en nuestro interior. Deseamos y necesitamos estar en el plano físico, explorarlo, desarrollarlo, disfrutarlo y aprender en él. A fin de cuentas, Dios creó todo lo que vemos a nuestro alrededor para deleite del hombre y la mujer, como un gran regalo.

La mayoría de los adeptos a la filosofía religiosa sufren un tremendo conflicto interior. En la búsqueda del desarrollo espiritual procuran "*elevarse*" por encima de la experiencia humana. Tratan de no desear y no necesitar, pero como seres humanos que son, desean y necesitan muchas cosas. Se debaten entre la añoranza de un desprendimiento material y las necesidades humanas, o quizás, incluso, entre esa parte de cada uno que desea la salvación eterna y la parte que desea gozar de la abundancia en el presente.

Durante el milagro de la multiplicación de los panes y los peces, Jesús muy bien pudiera haber suprimido el apetito de la multitud. Hubiera sido un milagro más sencillo. Después de todo, el Hijo de Dios poseía el poder de levantar inválidos, devolver la vista a los ciegos o resucitar a los muertos; así que no hubiera tenido ningún problema para quitarles las ganas de comer a los miles de asistentes. Pero Jesús optó por multiplicar los pocos panes y peces que tenían sus apóstoles hasta que todos comieron hasta saciarse.

Dios nos creó humanos, por lo que tenemos necesidades humanas. De lo contrario, nos hubiera hecho ángeles. Y para cada necesidad humana, Dios también nos proporciona elementos materiales acordes. Debemos tener fe y honrar todos nuestros sentimientos y necesidades profundas.

Sólo podemos experimentar en este plano, la verdadera prosperidad, si reconocemos y abrazamos todas nuestras facetas –espiritual, mental, emocional y física- en lugar de crear conflictos entre unas y otras.

La filosofía espiritual, por su parte, incorpora algunos elementos de los dos puntos de vista anteriores, pero sin las grandes limitaciones de ambos.

Es verdad que nuestra vida refleja nuestra conciencia. El

hombre que actúa de buena voluntad siempre va a recibir mayores satisfacciones que aquél que actúa motivado por las bajas pasiones.

El mundo exterior es nuestro espejo. A medida que crecemos, aprendemos y nos hacemos más conscientes, y nuestra experiencia de la realidad externa se modifica para reflejar los cambios. No cabe duda que la relación con el dinero y la experiencia de prosperidad reflejan nuestro proceso interior.

Sin embargo, esta filosofía suele entenderse y expresarse en términos demasiado simplistas y se ocupa exclusivamente de las cuestiones prácticas, que la mayoría de nosotros encuentra en la búsqueda de la prosperidad individual.

Quienes no han comprendido el verdadero significado de la prosperidad espiritual, piensan que si cambiamos nuestros pensamientos, solamente en el plano físico, cambiará la experiencia de la realidad y nos traerá prosperidad y abundancia monetarias.

Sin embargo, el dinero y la prosperidad no se limitan a reflejar los pensamientos, sino que más bien, reflejan un estilo de vida. No somos solamente mentes, también somos sentimientos, almas y cuerpos. Para experimentar la verdadera prosperidad, debemos sanar y desarrollar todas las facetas de nuestro ser.

Recurramos de nuevo al ejemplo de la isla desierta donde hemos carenado, después de un naufragio, para que se entienda mejor nuestro punto. Imaginemos que en esa misma isla, piratas de la antigüedad dejaron abandonados enormes tesoros compuestos de monedas de oro y plata, piedras preciosas y gemas riquísimas. El valor actual de esos tesoros sumaría miles de millones de dólares del dinero de hoy día.

Sin embargo, la isla está despoblada, por lo tanto, no hay nada que comprar ni con quien compartir el tesoro recién descubierto. Entonces, a pesar de poseer una nueva fortuna material, estaríamos ausentes de la prosperidad emocional por la inmensa soledad de la isla y también de la prosperidad espiritual, al no poder compartir nuestra riqueza como establece la ley universal.

Tal vez no todos los seres humanos estemos destinados a poseer una riqueza ilimitada. En el plano espiritual hemos escogido distintas metas y misiones en esta vida.

Algunos estamos aquí para aprender a vivir con sencillez y alegría con poco dinero. A algunos se les plantea el reto de aprender a equilibrar las necesidades personales y familiares con unos ingresos moderados. Otros quizás estemos destinados a ganar y administrar grandes sumas de dinero y a tener un gran poder económico, no sólo para beneficio personal, sino para impactar positivamente las vidas ajenas, como administradores o fideicomisarios de la abundancia.

Eso no significa una contradicción a lo que hemos establecido en los capítulos anteriores de este libro. Todos hemos sido dotados por Dios con una serie de capacidades y atributos que, si sabemos aprovechar, pueden contribuir a nuestro desarrollo humano e impactar positivamente a los demás. Sin embargo, el verdadero proceso es poder aceptar los retos de la vida en el aspecto económico y desarrollar nuestra capacidad humana dentro del entorno social, para crear y experimentar la máxima prosperidad espiritual.

La verdadera prosperidad no se crea de la noche a la mañana. En efecto, no es una meta fija, un sitio al que se llega al final del camino o un estado que se alcanza un día determinado. Es un proceso continuo de búsqueda de plenitud que se prolonga durante toda la vida.

Cuando conocí a mi esposa en el 2004, ella era una persona pobre que vivía dentro de un ambiente de humildad en su país. Pero la pobreza y la humildad sólo permeaban su mundo físico circundante. Ella era una persona extremadamente próspera de espíritu que, sin saberlo, se había lanzado ya al camino de la abundancia y la prosperidad material que alcanzaría más adelante.

Yo, por el contrario, vivía dentro de un mundo de mayor abundancia material, pero aún no había conocido la prosperidad espiritual que finalmente pude descubrir a su lado. Cuando comenzamos a trabajar sinérgicamente, al yo aportar los ingredientes y ella la receta, pudimos multiplicar nuestros recursos, en muy poco tiempo. Al hacerlo pudimos impactar también las vidas de otras personas, cosa que no hubiéramos logrado, de habernos quedado pobres.

Todos tenemos pensamientos, ideas, actitudes, creencias y pautas emocionales que limitan nuestra experiencia de prosperidad. La baja autoestima, la sensación de escasez, el temor al fracaso o al éxito, la seguridad de continuar viviendo en nuestra esfera de comodidad y los sentimientos encontrados hacia el dinero son factores que, entre otros, pueden convertirse en obstáculos en el camino hacia el desarrollo y la plenitud.

Asimismo, cada uno de nosotros desarrolla ciertas energías y niega otras, lo que nos deja desequilibrados y mal equipados para lidiar con ciertos aspectos de la vida.

La mayoría de esas creencias y pautas son inconscientes y no las advertimos, pero sin embargo controlan nuestra vida. Sólo cuando comenzamos a tomar conciencia de ellas, se nos presentan auténticas oportunidades de elegir cómo deseamos vivir.

El reconocimiento o la identificación de lo que anda mal en nuestra vida es el paso más importante en nuestro desarrollo. También es el más difícil e incómodo de alcanzar. Advertir un problema nos permite iniciar un proceso para superarlo. Sin embargo, la sanación y la rectificación llevan tiempo y requieren de constancia y esfuerzo. Claro esta, nunca podremos alcanzar la verdadera prosperidad, si tenemos un estado mental que la bloquee.

Debemos comprender la importancia de la toma de conciencia. Cuando no se es consciente de una conducta, se repite una y otra vez sin obtener ningún beneficio. De otra forma, cuando la hacemos consciente, podemos modificarla con un poco de esfuerzo. Poco tiempo después, las cosas comienzan a cambiar sin que se requiera ya mucho esfuerzo y los resultados comienzan a producirse solos.

Todos poseemos una profunda sabiduría innata de lo que necesitamos, de lo que es apropiado y válido para nosotros. Para acceder a ella, debemos prestar atención a nuestros sentimientos e intuición.

También necesitamos aprender a escuchar nuestra voz interior y a confiar en ella. Incluso si cometemos errores, debemos hacerlo para desarrollarnos y evolucionar. El Dr. Heriberto Ortiz, sicólogo y terapeuta, dice que hay que saber escuchar en el silencio.

Es posible que sólo al escuchar en el silencio, es que podemos descubrir la voz del Espíritu de Dios, que habita dentro de cada uno de nosotros, o las sugerencias de nuestro ángel de la guarda, amigo inseparable que trata de mostrarnos el camino verdadero. O tal vez se trata de una copia de la sabiduría universal que está archivada dentro de las profundidades de nuestra mente; sólo para aflorar a la superficie, en la medida en que seamos capaces de aprovecharla para el bien común.

No importa cuál sea la verdadera razón. Como quiera que hayamos crecido acumulando una serie de pensamientos, ideas y conceptos equivocados que se han llegado a convertir en prejuicios y creencias falsas sobre el dinero y la prosperidad, necesitamos reprogramar nuestra mente y abrirnos al Universo para establecer una nueva forma de pensar.

Soy de la opinión personal que lo que hemos descubierto, hasta ahora, de cada una de nuestras esferas (la física, la mental, la emocional o la espiritual), es sólo una mínima parte en comparación con lo que nos falta aún por aprender. Y cada día que pasa, descubrimos nuevas técnicas que nos permiten un mayor desarrollo de nuestras capacidades.

Si deseamos alcanzar la verdadera prosperidad debemos enfocar hacia ella cada una de nuestras habilidades en todas nuestras esferas de vida.

Con el poder de la mente podremos cancelar las viejas creencias y substituirlas por nuevos pensamientos positivos. Pongamos a funcionar el poder de la visualización y la proclamación, entre otras cosas.

El poder de la proclamación ha sido estudiado hasta la

saciedad y ha quedado demostrado. Aquellos delincuentes que han logrado burlar el detector de mentiras, lo lograron hacer mediante el poder de la proclamación constante. Tantas veces han repetido una frase, aunque no sea verdad, que cuando son interrogados con el detector de mentira, su organismo no muestra alteración alguna porque la mente ha aceptado la mentira como una gran verdad.

Proclamar, en el contexto de este trabajo, es repetir una frase varias veces con el objetivo que se fije en nuestra mente como un nuevo principio. Y como nuestra mente posee una capacidad creadora indiscutible, a través de la proclamación podemos alcanzar la manifestación que es la obtención de un deseo al que convertimos en realidad. Al final de este capítulo le daremos un simple ejercicio de proclamación para que lo ponga en práctica.

Aprendamos a visualizar la prosperidad a nuestro alrededor, pero no dentro de un contexto individual o egoísta sino dentro de un plano colectivo de manera que con ella podamos influir positivamente en nuestros semejantes. Al hacer eso, también estaremos incorporando en nuestra ecuación de prosperidad individual, el componente espiritual que nos conectará a las leyes que rigen la prosperidad universal. La verdadera y plena prosperidad es la que nos eleva a una nueva dimensión de altruismo y espiritualidad.

Como ejercicio al final de este capítulo, repita frecuentemente durante el día las siguientes frases y no olvide los otros ejercicios que recomendamos anteriormente. Repítalas varias veces al levantarse y antes de irse a la cama por la noche.

Yo amo la prosperidad y la invito a mi vida.

El Universo desea mi prosperidad y yo deseo la prosperidad de los demás.

Los regalos de Dios son infinitos y el mejor regalo es su amor por mí.

Existo dentro de un universo de abundancia.

Rechazo y expulso de mi mente todo pensamiento negativo.

La Creación de Dios es un vivo ejemplo de abundancia.

Desde hoy declaro que soy una persona próspera.

Pronto alcanzare la prosperidad. Es sólo cuestión de tiempo.

La riqueza del Universo me pertenece porque Dios la ha creado para mí.

Ya soy una persona próspera y siempre lo seré.

Dios es prosperidad absoluta y mi prosperidad personal es un regalo de Dios para ser compartido con los demás.

Capítulo 15

LA PLENITUD DE LA VIDA

Ya casi llegamos al final de este trabajo que nació del deseo que todos tengan la oportunidad de acceder a un mundo mejor, más abundante, más próspero, más pleno y más feliz. ¡Un mundo en el que cada ser humano viva en plena armonía con sus semejantes, con el universo y con el Creador!

Ya hemos completado una disección del fracaso y le hemos proporcionado las claves y herramientas del éxito. Usted ha aprendido la importancia de su mente como base co-creadora de su presente y su futuro. Sabe que puede reprogramar su mente. Ya usted ha podido tomar control de los aspectos más importantes de su vida y entiende a cabalidad las leyes o principios que rigen el comportamiento humano y nuestra interacción con la sociedad.

Sin embargo, es importante resaltar que la plenitud de la vida es una cima o cúspide subjetiva e individual para cada persona. Más que escalar hacia una cima o cúspide, la plenitud de la vida es ascender a un nuevo nivel donde ya todo, o casi todo, ha sido alcanzado.

El camino hacia la plenitud de la vida comienza con la reprogramación de nuestra mente, de nuestras ideas y actitudes. Debemos sustituir las creencias falsas por creencias verdaderas que sirvan de base a una nueva forma de vida. Debemos atesorar el éxito y rechazar el fracaso, proclamar nuestra amistad con la abundancia del universo y utilizar el infinito poder creativo de nuestra mente para atraer hacia nosotros esa abundancia que también nos pertenece como regalo de Dios que es. Debemos respetar y valorar las leyes o principios naturales y saber aprovecharlas a nuestro favor.

171

Para acercarnos a la plenitud de la vida, es preciso que incorporemos las claves del éxito a nuestro diario vivir y sepamos aprovechar las herramientas que han usado las personas triunfadoras y exitosas a través de las épocas. Y, sobre todo, la mejor herramienta que es compartir una parte de nuestras bendiciones con los menos bendecidos. La ley del diezmo nunca falla porque es promesa de Dios.

Para alcanzar la verdadera plenitud de la vida debemos cavar, imaginariamente, una fosa muy profunda donde enterraremos la envidia, el resentimiento, el odio, la impaciencia, la codicia, la indiferencia, la intolerancia, la apatía, la pereza, y todos los pensamientos negativos que nos producen miedo, ansiedad e incertidumbre y nos alejan de la paz y la serenidad, al propiciar nuestras penurias, dificultades y fracasos. Luego sellaremos esa fosa profunda con una sólida mezcla de confianza, alegría, seguridad, altruismo, amor, perdón, esperanza, caridad, perseverancia, entusiasmo y paciencia que nos permita manifestar un estado de abundancia, prosperidad y realización. ¡Esas virtudes florecen y crecen a la luz del Espíritu de Dios!

La plenitud de la vida no es la acumulación de riquezas, como hemos dicho antes. Es mucho más que eso. La plenitud de la vida es una salud excelente que nos permite disfrutar de los encantos del mundo. También es entusiasmo por la vida, estabilidad emocional y sicológica, armonía con el medio ambiente y un sentido generalizado y constante de bienestar.

No podemos alcanzar la plenitud de la vida si no avivamos la chispa divina que habita dentro de nosotros. Cuando el cristianismo nos exhorta a imitar a Cristo en cada aspecto de nuestra vida, en esencia nos invita a estimular el aspecto divino y sublime de nuestro ser y a eclipsar el lado mezquino y mundano que llevamos dentro.

Alcanzaremos la plenitud de la vida cuando hayamos liberado al máximo nuestro "yo" divino y su infinita capacidad creativa, en perfecta armonía con el Espíritu de Dios y con toda la creación que nos rodea, en especial con nuestros semejantes.

Martin Luther King dijo una vez que "el hombre no se hace grande hasta que logra despojarse de las limitaciones e imperfecciones de su humanidad y comienza a vivir por un ideal más alto".

La plenitud de la vida es el punto de armonía y equilibrio de nuestro cuerpo, nuestra mente, nuestra alma y nuestro espíritu con el mundo visible e invisible, donde el ego ya no desea nada porque todo lo tiene, todo lo ha logrado, todo ha sido realizado y lo único que resta es entregarnos a los demás.

La plenitud de la vida es ese momento en que una ilusión o un sueño dejan de serlo porque se han convertido en realidad, donde los deseos son substituidos por satisfacciones, donde la paz y la serenidad son estados permanentes, donde el amor y la gratitud por toda la creación no necesitan ser forzados sino que fluyen constantemente de forma natural.

Cada uno llega por diferentes caminos, en diferentes momentos y con diferentes medidas. Para Javier, Moisés, Alex, el vendedor de multinivel, la enfermera, el joven empresario de Las Vegas, el inventor del *Pet Rock* o el matrimonio que compró el apartamento en el rio de Miami, la plenitud de sus vidas ha sido una deliciosa experiencia, subjetiva e individual. Para el padre Antoine Lootens, la plenitud de su vida ocurrió cuando abandonó una vida cómoda dentro de una familia rica en su Bélgica natal y dejó su carrera de medicina, para convertirse en un sacerdote misionero pobre en Centro y Sur América.

La plenitud de la vida, aún dentro de las imperfecciones y limitaciones de nuestra propia humanidad, es ese instante en que alcanzamos la palingenesia de nuestra existencia, el renacimiento a una nueva dimensión de vida como la crisálida que abandona el capullo y agita por primera vez sus alas, convertida ya en una hermosa mariposa dispuesta a elevarse hacia alturas insospechadas y desconocidas.

Ojalá que lo que hemos compartido con usted en estas páginas, le permita muy pronto ser esa mariposa y emprender un vuelo sin fronteras ni límites de tiempo y espacio hacia la plenitud de su propia vida. ¡Que así sea!

BIBLIOGRAFIA

"La Prosperidad", Lair Ribeiro

"Rich Dad, Poor Dad", Robert Kiyosaki

"Como Ganar Amigos e Influenciar a la Gente", Dale Carnegie

"Secrets of the Millionaire Mind", T. Harv Eker

"The Power of Positive Choices", Gail McMeekin

"A Course in Life", Joan Gattuso

"The Seven Spiritual Laws of Success", Deepak Chopra

"The One Minute Millionaire", Mark Victor Hansen y Robert G. Allen

"Let's Talk Money", Jim Barry

"Six Steps Away From Happiness", Dan Baker and Cameron Stauth

"Becoming Who You Were Born To Be", Brian Souza

"Think And Grow Rich", Napoleon Hill

PENSAMIENTOS DE SABIDURIA

El Hombre no es un ser capaz de tener una experiencia espiritual; el hombre es un ser espiritual que vive una breve experiencia humana. WAYNE DWYER

Las mentes de los grandes, tuvieron propósitos y los demás solo deseos. WASHINGTON IRVING

El ayer es historia, el mañana es un misterio, el hoy es un gran regalo; por eso le llamamos "presente". ANONIMO

Algunas de las obras más grandes de la historia fueron realizadas por personas tan simples que nunca comprendieron que eran imposibles. ANONIMO

Lo más importante en este mundo no es tanto donde estamos sino en que dirección nos dirigimos.
OLIVER WENDELL HOLMES

No vayas por donde te lleva el camino. En vez, crea tu propio camino y deja una huella.
RALPH WALDO EMERSON

Cuando el trabajo, el compromiso, el placer y la pasión se convierten en uno, nada es imposible. ANONIMO

Podrás sentirte desencantado si fracasas, pero te sentirás un fracasado si no lo vuelves a intentar. BEVERLY SILLS

Si avanzamos con confianza en dirección a nuestros sueños y perseveramos en la vida que hemos imaginado, alcanzaremos el éxito en la hora menos esperada. HENRY DAVID THOREAU